EN LA BOCA DEL LOBO

AGENTE ESPECIAL AINARA PONS Nº 7

RAÚL GARBANTES

Producción editorial: Autopublicamos.com
www.autopublicamos.com

Diseño de la portada: Giovanni Banfi
giovanni@autopublicamos.com

Página web del autor:
www.raulgarbantes.com

amazon.com/author/raulgarbantes
goodreads.com/raulgarbantes
instagram.com/raulgarbantes
facebook.com/autorraulgarbantes
x.com/rgarbantes

Obtén una copia digital GRATIS de *Miedo en los ojos* y mantente informado sobre futuras publicaciones de Raúl Garbantes. Suscríbete en este enlace:
https://raulgarbantes.com/miedogratis

ÍNDICE

PRÓLOGO

Ainara abre los ojos y mira a su alrededor. La luz parpadea y los hombres que la rodean se ven como figuras recortadas en las sombras. Sus rostros, que aparecen y desaparecen en las intermitencias de la luz, se muestran feroces, dispuestos a todo. Ainara cuenta doce en total, son muchos.

Es un lugar oscuro y húmedo. Se oye el movimiento del agua en el suelo, les llega casi hasta los tobillos. Ainara busca una salida. Encuentra una abertura que da a un sitio totalmente a oscuras, es la única entrada. Por allí ingresó sin saber a dónde se dirigía antes de que se encendiera la trémula luz que los alumbra ahora. Ainara puede ver mingitorios e inodoros rotos. Es un baño abandonado. El olor es nauseabundo.

Observa a los hombres a quienes está a punto de enfrentar y sabe que sus posibilidades son inciertas. Si fueran solo cuatro o cinco, no dudaría de poder con ellos, pero son doce. De todos modos, no tiene alternativa, ya está hecho. Ve que el líder sostiene ese hierro en forma de puñal y algunos de los otros llevan palos. Debería derribar al líder primero y quitarle el arma, eso mejoraría sus probabilidades de salir con vida.

Sería un final triste morir de esta manera. Por supuesto que luego de lo que había vivido hasta ahora, no esperaría morir de anciana, muy tranquila en su cama y rodeada de seres queridos. Pero hubiera preferido algo más heroico, en la que su honestidad hubiera sido reivindicada. Morir en este hueco sucio, sin que sus amigos sepan dónde está y con la posibilidad de que su cadáver se pudra en este lugar sin que nunca nadie lo encuentre, es una opción, al menos, triste.

Les echa otro vistazo a sus oponentes, se mantienen inmóviles, como esperando a que el líder les dé la orden o que ella haga el primer movimiento. Estos hombres no la conocen ni saben lo que es capaz de hacer. Ella cuenta con eso, no imaginan que se lanzará como una máquina de matar y que acabará con todos uno por uno. Al menos eso es lo que Ainara se dice a sí misma, intentando convencerse de que puede con ellos y que alguna ventaja encontrará. Estudia sus cuerpos y posibles debilidades, además de las distancias que los separan para anticipar sus movimientos. Sabe que cada uno de sus golpes debe ser mortal, no tiene tiempo para pegar más de una vez. Sin embargo, por más planes que haga, sabe que el instinto es su mejor herramienta. Su cuerpo reaccionará y hará tanto daño como pueda.

Ve al líder moverse. Su cuerpo se tensa y está a punto de lanzarse, no hay más tiempo para pensar. Es hora de matar.

1

ME ENCARGAN UNA SECILLA MISIÓN

HOTEL en las afueras de Los Ángeles, California
Jueves, 14 de julio, 7:00 p. m.

EL ÍNDICE se me congela mientras revuelvo el daiquiri sin alcohol. Saco el dedo del cóctel y lo meto en mi boca, está delicioso. No es lo que tomaría normalmente, pero hace juego con mi apariencia actual. Levanto la vista y observo mi reflejo en el cristal detrás de la barra. Parezco una chica superficial que anda por bares en busca de aventuras. Mi cabello teñido de rubio, estos lentes con montura rosa y los labios bien rojos son cosas que nunca usaría, pero que me hacen ver por completo distinta. Esa es la idea, verme diferente, que nadie me reconozca.

Tomo un trago. Lo retengo en la boca, saboreándolo unos instantes. Hace mucho que no bebo, así que lo disfruto. Me viene una imagen de Audrey Hepburn en una vieja película tomando lo mismo. Sonrío. No podría haber algo más alejado de mí. Miro a un costado y veo a Stacy Thompson en el extremo opuesto de la barra, bebiendo café. Ella es mi misión, debo protegerla esta noche mientras realiza algún tipo de transacción. No sé de qué se trata, no me dieron esos detalles. Desde el incidente con los supremacistas, todo ha sido más complicado.

El FBI me ha puesto en su mira otra vez y debo andar con cuidado. Si bien aquel acontecimiento fue un fiasco y con mi equipo apenas pudimos salir con vida, logramos arruinar los planes del Anillo. No hemos tenido noticias de ellos desde entonces y espero que siga así.

Hoy me toca proteger a esta mujer. Es una empresaria adinerada conocida de la diputada amiga de Junior, a través de ella nos llegó el trabajo. Evidentemente, se trata de algo turbio, tal vez espionaje industrial, no lo sé. Si no fuera así, esta situación no tendría ningún sentido. ¿Por qué haría la transacción en el bar de un hotel a muchos kilómetros de su casa o su oficina? Por el motivo que sea, debe de ser algo de suma discreción para que la diputada haya optado por llamarnos a nosotros en lugar de enviar a cualquier guardaespaldas. Incluso podría tener que ver con algo del Anillo, ya que la diputada está al tanto de todo lo sucedido y no mandaría a cualquiera.

Creo que estoy obsesionada con ese tema, tal vez solo se trata de una cuestión más simple, quizás esté relacionado con alguna infidelidad. Puede ser que Stacy Thomson espera las pruebas de la infidelidad de su exmarido de la mano de algún detective privado local. Si tuviera que ver con el Anillo, la diputada nos habría puesto al tanto.

Solo puedo especular, ya que no hay mucho más que hacer cuando se trata de vigilar de incógnito, solo observar, esperar y pensar.

Ya hace una hora y tres daiquiris que observo, espero y pienso. Stacy me mira cada tanto, pero quedamos en que no estableceríamos ningún contacto a no ser que se sintiera en peligro. Sin embargo, la veo muy nerviosa, toma un café tras otro y se agarra fuerte las manos. Me llama la atención la cantidad de anillos que lleva puestos, son todos muy caros, en especial uno que tiene un enorme diamante.

Creo que estoy un poco paranoica y veo señales del Anillo en todos lados, debo relajarme, parece que los daiquiris no logran ese efecto.

Stacy es una mujer elegante, de unos cuarenta años pero con el cabello entrecano. Por su forma de hablar y manejarse, se me hace evidente que es de buena familia. Eso hace que su presencia en este lugar sea aún más llamativa. Ella me dijo que no conocía a la persona con la que se reuniría, que solo se comunicaron de manera electrónica. Solo sabía que era un hombre y que se verían aquí.

Hace unas horas me escribió mi amigo Alain preguntándome si había recibido su paquete. Le dije que no y le pregunté de qué se trataba. Me dijo que era una sorpresa, pero que recibió el aviso de que ya lo había recibido. Lo noté preocupado y me pidió que, por favor, le avise cuando llegara el envío. El paquete nunca llegó.

Un hombre se le acerca a Stacy y se sienta junto a ella. Tiene también unos cuarenta años, cabello corto y castaño, lleva traje azul. No es un traje como el que usaría el empleado de un banco, es más bien uno hecho a medida, como los que usan los ricos. Sucede lo mismo que con Stacy, se le ve fuera de lugar. Está claro que no es un detective privado. También es evidente que no intenta pasar desapercibido, su atuendo va en otro sentido, como si quisiera llamar la atención o seducir. Su sonrisa me dice que se trata de seducción. Tal vez no sea la persona que Stacy está esperando y solo se trata de un hombre rico que sale de su ámbito para buscar algún amorío. Pero Stacy le sigue hablando, si no fuera a quien espera, ya lo hubiera echado. El hombre juega con una llave en la mano izquierda, es de una habitación de este hotel, la muestra como si la estuviera invitando a Stacy. A ella se la ve incómoda. Mientras no me haga ninguna seña, no intervendré. Alcanzo a ver el número de la llave, es de la habitación 12.

El hombre menea la cabeza, negando algo, pero con una sonrisa socarrona. Entonces, mete la mano derecha dentro del saco. Extrae un sobre manila, hace el amago de dárselo, y cuando ella estira la mano para tomarlo, él lo aparta. Le dice algo. Ella le dice que no y mira hacia su taza de café vacía. Él entonces se alza de hombros, deja el sobre encima de la barra y en un movimiento rápido le acaricia a Stacy la cabeza. Ella se retrae, alejándose, y yo tenso mi cuerpo como para lanzarme hacia él. Pero el hombre sonríe y se aleja. Ella agarra el sobre, lo dobla y lo mete en su cartera. Me mira y asiente con la cabeza. La transacción terminó. Se levanta y camina hacia el ascensor. Le hago una seña al barman y le dejo una propina. Me pongo de pie y voy tras Stacy.

Me apuro a alcanzarla cuando entra al ascensor.

—¿Todo bien? —le pregunto.

—Sí —me responde—, fue un momento desagradable, pero me entregó lo que necesitaba, así que ya está.

—¿Intentó propasarse?

—Estuvo al límite —me contesta, dudando—. Hace veinte años hubiera dicho que era un galán, hoy sé que es un acosador.

—¿Lo volverás a ver?

—No. ¡Por Dios! —exclama poniendo cara de asco —. Nunca más. Hoy dormiré aquí, no me gusta conducir de noche. Te libero, tu trabajo ha terminado. Tu presencia me hizo sentir muy segura. Muchas gracias.

2

NUNCA ES TAN SIMPLE

HOTEL en las afueras de Los Ángeles, California
Viernes, 15 de julio, 8:10 a. m.

ABRO los ojos y tardo unos segundos en reconocer el lugar. Estoy en la habitación del hotel. Un sonido se repite y comprendo que es el teléfono. Estiro el brazo y atiendo.

—Buenos días, señorita Boockman —dice de forma apurada una voz masculina al otro lado de la línea. Pienso que se equivocaron, pero de inmediato recuerdo que ese es el nombre con el que me registré.

—Buenos días —respondo con voz grave y carraspeo, buscando volver a mi tono normal.

—La llamo de la recepción —prosigue la voz en el mismo tono—. Le enviaron algo, la esperamos aquí para que lo reciba.

—¿No pueden subirlo a la habitación? —pregunto.

No tengo ganas de levantarme todavía.

—Lo lamento, señorita Boockman —me contesta—. Debe venir por él, la esperamos aquí. Muchas gracias.

El hombre corta. Me llama la atención lo poco gentil de la persona que me habló, por lo general el servicio de los hoteles es mucho más amable.

Me vestí sin ganas. Como tengo el cabello despeinado, me puse una cazadora negra y me subí la capucha. Ahora camino hasta el mostrador de recepción, supongo que se trata del paquete del que me había hablado Alain. Saludo al muchacho de camisa y corbata que se encuentra respondiendo teléfonos y dando indicaciones. Hay mucho movimiento en el vestíbulo.

—Soy la señorita Boockman —le digo—. Me informaron que tenían algo para mí.

—Sí, claro —contesta el muchacho y sale de atrás del mostrador apurado y sin dedicarme ni siquiera una sonrisa—. Sígame, por favor.

El muchacho camina hacia la salida. No entiendo por qué tienen mi envío afuera. Me cruzo con dos señoras que hablan exaltadas con un botones, reclamando que bajen su equipaje de inmediato. Cuando llegamos a la puerta, me encuentro con otro botones, que me extiende una correa y se va. Un cachorro negro me observa desde el otro extremo de la cuerda.

—¡¿Qué demonios?! —exclamo entre sorprendida y molesta. ¿Qué clase de broma es esta?

—Lo siento, pero en el hotel no aceptamos mascotas —dice el muchacho de la recepción mientras vuelve a entrar, dejándome afuera—.

—¡Espera! —le pido—. No tengo dónde dejarlo.

—Puede amarrarlo allí si quiere —me señala un sitio para estacionar bicicletas—, pero no tenemos a nadie para que lo cuide.

—¿Quién lo envió? —pregunto sin dejar de mirar al animal, que se para y mueve el rabo mientras me huele los pies. Es un *rottweiler*, debe de tener cuatro o cinco meses.

—¡Oh!, perdone —dice el muchacho, dándose cuenta de que se había olvidado de algo—. Aquí tiene el recibo que firmamos.

Me extiende el documento. En el remitente solo figura un nombre: Alain.

¡Maldición! Lo último que quiero en este momento es un cachorro. Ya tuve un perro, mi Bob, mi bestia negra y ninguno podrá reemplazarlo. ¿Qué haré con él ahora? Quiero decirle algo al recepcionista, pero ya no está allí, ha vuelto a su mostrador y lo veo discutir con un huésped. ¿Por qué están todos tan nerviosos? Veo que el cachorro levanta la pata y orina en una maceta. Saco el móvil para llamar a Alain y recién entonces me doy cuenta del tumulto que hay a un costado del hotel. Es en el *parking*. Llevaré al perro hasta mi camioneta para dejarlo allí, mientras tanto, averiguaré qué está pasando. Cuando doy vuelta al hotel para llegar al aparcamiento, veo a muchos policías. Doy un paso atrás y me apoyo contra la pared. Me asomo y veo varios patrulleros, muchos curiosos y una cinta de contención que parece cercar la escena de un crimen. No tengo de qué preocuparme, nada tiene que ver conmigo. Afortunadamente, mi camioneta está en el otro extremo, así que comienzo a caminar hacia allí con el cachorro. Veo un bulto cubierto en el suelo, rodeado de un equipo forense. Sin duda, hay un cuerpo allí abajo. Un homicidio justo en el mismo hotel en que me alojo es demasiada coincidencia. Llego a la camioneta y meto al perro adentro.

—Pórtate bien.

Cierro la puerta, lo veo que se sube al asiento y me mira por la ventanilla. Meneo la cabeza. ¡Maldito Alain!

Me doy vuelta hacia la multitud.

—Es demasiada coincidencia —me repito, resignada. Los problemas me persiguen y mirar para otro lado no va a hacer que desaparezcan, debo ver de qué se trata.

Me arrimo a la valla de contención y veo que suben el cuerpo cubierto con una manta a una camilla. Es entonces que una de las manos del cadáver cae hacia a un costado. Es la mano de una mujer que está llena de anillos. ¡No es posible! Esa tiene que ser Stacy. La observo el poco tiempo que tardan en entrar a la ambulancia y advierto que le falta el anillo más caro, ese del diamante que me había llamado la atención. Tal vez se trató de un robo. Tenía que protegerla y ahora está muerta. Debí haberla vigilado hasta que se fuera de aquí. Pero ella me dijo que mi tarea había terminado. Fui una estúpida, no podía ser tan sencillo, nunca lo es. Ahora debo averiguar qué pasó, si bien no es mi responsabilidad, al menos le debo esto a la mujer que confió en mí.

Me acerco a dos policías que hablan entre sí y los escucho.

—¿Le viste el cuello? —dice uno.

—Sí —responde el otro—, la estrangularon.

—Como a las demás.

—Sí, como a las demás.

¿De qué demás hablan? ¿Hay más mujeres asesinadas? Tal vez la muerte de Stacy no tenga nada que ver con lo que vino a hacer aquí. Alguien anda robando y matando a mujeres al azar. Debo revisar su habitación, tal vez encuentre los papeles que le dio el hombre anoche y pueda ver si una cosa tiene que ver con la otra.

Vuelvo a entrar al hotel, llego al elevador y subo hasta el piso donde se encuentra su cuarto. Salgo al pasillo y veo un hombre de traje gris junto a un empleado del hotel, quien está abriendo la puerta de la habitación de Stacy. Como si fuera un reflejo, doy un paso hacia atrás y entro de nuevo al elevador. Oprimo el botón del piso dos, que es en el que me alojo. No tengo dudas sobre ese hombre, es del FBI. Salgo al pasillo y voy a mi habitación. Agarro la mochila con mis pocas cosas y salgo, debo desaparecer rápido. Ese hombre no llevaba la cazadora azul característica con las letras FBI en la espalda y no había ningún otro agente en la escena del crimen. Lo que significa que no están oficialmente a cargo del caso. Tal vez vinieron a otra cosa.

Bajo por las escaleras hasta el vestíbulo y miro en dirección al bar. Veo a otros dos hombres de gris hablando con el barman. El barman me ve y me señala. Los dos agentes giran hacia mí y comienzan a correr. Yo también corro. Salgo y voy al *parking* a toda prisa.

No me importa llamar la atención. Debo salir de inmediato. Llego a la camioneta, subo y arranco. Los dos agentes intentan interceptarme, pero no me detengo y los embisto. Ellos se arrojan a un lado para que no los atropelle y yo sigo mi camino. Todo se ha complicado. Nunca es tan simple.

3

ESTÁN AQUÍ POR MÍ

Motel en las afueras de Los Ángeles, California
Viernes, 15 de julio, 3:10 p. m.

Tendría que haber seguido con mi camioneta hasta salir del estado. Debería olvidarme del caso, después de todo, yo cumplí con mi trabajo y la misma clienta me lo indicó. Debí dejar este tema atrás y buscar un sitio seguro donde desaparecer un tiempo. Pero no lo hice.

Estoy en un motel en la carretera, a veinte kilómetros de la escena del crimen. Quise detenerme para pensar los pasos a seguir y descansar un par de horas antes de continuar. Sin embargo, me quedé aquí tratando de entender lo que pasó. Aún no lo comprendo.

Enciendo el televisor para distraerme y veo las noticias. Como no podía ser de otra manera, las noticias hablan del crimen del hotel. Muestran la foto de Stacy en una gala en Nueva York junto con políticos y empresarios. Dicen que era una ejecutiva importante de una empresa petrolera internacional. Explican que estaba en Los Ángeles por una aventura amorosa, pero que tuvo la mala suerte de cruzarse con el Estrangulador, el asesino serial que ha matado a nueve mujeres en los últimos tres meses.

Apago el televisor. En pocas horas han ensuciado el nombre de Stacy Thompson. Esto tampoco es casual, ¿por qué inventarían lo de la aventura si no quisieran desprestigiarla? Cualquiera que los hubiera visto, el poco tiempo que estuvo en público con aquel hombre, sabría que ella no quería nada con él. Lo cierto es que ese hombre me resultó bastante sospechoso. Más allá de los papeles que le entregó a Stacy, se comportaba como un acosador. Si tuviera que buscar un culpable del homicidio, comenzaría por ahí. Si aquel hombre ha asesinado ya a ocho mujeres sin ser descubierto, dudo que lo atrapen con la novena. Tal vez deba investigar por mi cuenta, no tomaré más riesgos de los necesarios, pero averiguaré quién era ese hombre. Sé que estaba en la habitación número 12, con eso será suficiente para empezar. Debo volver al hotel y obtener esa información. Pero antes hay algo de lo que me debo encargar. Veo al cachorro olfatear las patas de la mesa, así que decido sacarlo antes de que haga sus necesidades aquí adentro. Además, le compraré algo de comida, estamos los dos en ayunas.

Salgo con el cachorro de la habitación y veo a los dos agentes que casi atropello caminando a la recepción. Me echo hacia atrás y me oculto tras una columna. El cachorro se pone a orinar justo ahora.

—Apúrate.

Apenas termina lo levanto en brazos. Ya es bastante grande y pesado, pero no puedo arriesgarme a perder tiempo. Corro con él a cuestas. Cuando me alejo lo suficiente del motel, lo bajo y seguimos caminando rápido hacia la camioneta. La había dejado a tres calles, precisamente para que, de ubicarla, no me encontraran a mí. No entiendo cómo me hallaron tan rápido. No importa, no esperarán que regrese a la escena del crimen, nadie lo haría.

Viernes, 15 de julio, 4:15 p. m.

Luego de dar un vistazo por la zona, estacioné a la vuelta y dejé al cachorro dentro del vehículo. Camino rápido hasta el hotel, observando de nuevo los alrededores. En el *parking* continúa habiendo policías en custodia de la escena del crimen, pero ya no hay tanto movimiento como esta mañana. Entro al vestíbulo, caminando muy normal. Voy directo a la recepción, tampoco hay policías dentro. Los del FBI deben de estar muy lejos ahora.

—Hola, señorita Boockman —me dice el recepcionista al verme—. ¿En qué la puedo ayudar?

—Vine a realizar el *check out* —respondo como si nada hubiera pasado, como si no hubiera huido. De hecho, si mi curiosidad o cargo de conciencia no me hubieran obligado, jamás hubiera vuelto.

—Muy bien, en un minuto —responde el muchacho y comienza a realizar el trámite en su ordenador.

—Qué horror lo de esta mañana —digo buscando conversación.

—Sí, terrible —me contesta—. La huésped asesinada hizo el *check out* cerca de las cuatro de la mañana —me explica, ahorrándome el trabajo de interrogarlo—. Me dijo mi compañero del turno noche que la vio muy nerviosa.

—¡Qué barbaridad! —continuó en su mismo tono de asombro—. Alguien la debe de haber estado esperando en el *parking*.

—Sí, eso es lo que dijo la policía —me contesta, dándome más información—. Estuvo en el lugar equivocado a la hora equivocada.

No creo que haya sido mala suerte. Ella me dijo que saldría por la mañana, algo aceleró su partida y la aguardaban para matarla. Fue algo planeado. El recepcionista me da la cuenta y se la pago en efectivo con una buena propina.

—Me gustaría hacerte una pregunta —le digo, yendo por lo que realmente me interesa—. Anoche en el bar conocí a un señor muy elegante. Sin embargo, olvidé su nombre, creo que había tomado unos daiquiris de más y me afectó la memoria. —Fuerzo una sonrisa cómplice a la que él reacciona de manera positiva—. Este hombre estaba en la habitación 12, ¿me podrías recordar su nombre?

—Lo lamento, señorita Boockman —responde el muchacho—. La administración es muy estricta en cuanto a la privacidad de nuestros huéspedes.

Saco de mi cartera un billete de cien dólares y se lo acerco, arrastrándolo por el mostrador. Con velocidad, pero sin llamar la atención, el recepcionista apoya sobre el billete el recibo por el pago de mi habitación, y cuando lo tomo, veo que los cien dólares han desaparecido.

—Me temo que el señor Martin Johnson ha dejado el hotel esta mañana —dice entonces el muchacho, respondiendo a una teórica pregunta que nunca hice, pero con los datos que sí le pedí—, así que no puedo comunicarla con él.

—Muchas gracias —le digo y me doy vuelta. Al hacerlo, choco con un hombre al que reconozco de inmediato—. ¡Oh!, disculpe.

—No hay problema —me responde. Es el agente Smith, el jefe de operaciones del FBI. Se me queda mirando unos segundos como dudando si me conoce o no, pero yo miro hacia adelante detrás de mis lentes y avanzo sin darle tiempo a que reaccione. Smith pronto continúa con lo suyo y lo escucho hablarle al recepcionista.

—Soy el agente Smith, del FBI —le dice a modo de presentación—, estoy buscando a una fugitiva llamada Ainara Pons. Esta es su foto.

No escucho más porque acelero el paso. Seguro le mostró en el móvil una foto mía antigua con el cabello negro. No entiendo cómo llegaron al motel y ahora vuelven a buscarme aquí, pero no me quedaré a averiguarlo. Ahora no tengo dudas, el FBI no está aquí por el asesinato. Están aquí por mí.

4

POR ALGO LE DICEN EL SABUESO

Motel en las afueras de Los Ángeles, California
Viernes, 15 de julio, 5:30 p. m.

Ya estoy instalada en otro motel, a treinta kilómetros de la escena del crimen y en la dirección contraria al hospedaje anterior. Cuando dejé atrás al agente Smith, manejé hacia Los Ángeles, guardé mi camioneta en un *parking*, tomé un taxi hasta una agencia de renta de vehículos y alquilé una miniván. Usé una tarjeta con una identidad falsa creada por Andrew, que se ha vuelto un experto en esos temas, por lo que no he dejado ningún rastro que el FBI pudiera seguir. No entiendo cómo me hallaron las dos veces anteriores, pero esta vez no podrán hacerlo.

Ahora aguardo la llamada de Andrew con la información que le pedí apenas esquivé al jefe de operaciones del FBI. Es una suerte que aquel hombre no me haya reconocido, supongo que el no haberme visto nunca en persona y guiarse por una foto vieja fue la causa de que no me descubriera. Yo también lo conozco por fotos. Freddie me contó que había venido de otro distrito para reemplazar al jefe Phillip Nash. Cuando pienso en cómo murió, una gran nostalgia me invade. Freddie me dijo que tuviera cuidado con el nuevo jefe, lo llaman el Sabueso, y supo que quería atraparme.

Estoy recostada y siento algo en mis pies. Es el cachorro que se ha acurrucado junto a mí sobre la cama. Agarro el móvil y le tomo una foto. Es muy bonito. Todavía tengo que hablar con Alain sobre el perro, pero no es el momento, hay cosas más importantes que hacer. Mientras observo la foto, suena el teléfono y atiendo, es Andrew.

Hola, Ainara —me dice—. Logré hackear al motel y ya tengo los datos del hombre de la habitación 12 que me pediste.

—Bien —le respondo—. Dime qué tienes.

—Su nombre es Evan Dust.

—Un momento —lo interrumpo—. En los registros aparecía como Martin Johnson.

—Sí, lo sé —me confirma—. Pero la tarjeta de crédito que utilizó está a nombre de Evan Dust. Investigué a los tres Martin Johnson que aparecen en el área y ninguno coincide con las características del hombre del hotel que tú me pasaste, son todos afroamericanos. Sin embargo, el Evan Dust dueño de la tarjeta coincide a la perfección con tu hombre.

—¿Averiguaste algo que me ayude a encontrarlo? —le pregunto, sentándome en la cama. El perro me mira, se levanta de donde estaba y se vuelve a acercar hasta apoyarse contra mis piernas.

—Por supuesto —me contesta alardeando—. Pero aquí es donde esto se pone raro. La tarjeta de crédito que utilizó es una antigua, con más de veinte años, una extensión de la tarjeta de su madre, que vive cerca de donde te encuentras.

—¿Qué tiene esto de raro? —pregunto al no ver nada peculiar.

—Lo raro es que es una tarjeta básica con un límite muy pequeño —me explica—, que utiliza en muy pocas ocasiones y solo en California.

—Sigo sin entender qué es lo extraño —insisto.

—Lo extraño —se apresura a decirme— es que Evan Dust es multimillonario, con al menos cinco tarjetas más, tres de ellas sin límite de crédito.

Hago silencio un instante, tratando de asimilar estos datos. ¿Por qué utilizó una tarjeta de su madre? ¿Qué negocio tenía este hombre con Stacy? Además, todavía no hay nada que indique que él es el asesino. Debo ubicarlo.

—Desde hace cuatro meses es el dueño de la empresa de energía solar más importante del país —continúa Andrew—, pero hasta hace seis años no tenía un centavo. Llegó a Nueva York con una mano atrás y otra adelante. De la noche a la mañana se transformó en un magnate.

—Eso solo se logra realizando cosas ilegales —le digo. Pero ya estoy cansada de tanta historia y quiero verlo frente a frente—. Dame una dirección y hablaré con él.

—Tengo la dirección de su casa en Los Hamptons,

en Long Island —me cuenta—, la de su oficina en Wall Street y una que tal vez te interese más.

—Deja el suspenso y habla —reclamo.

—La dirección de su madre —aclara—. Como te dije antes, está cerca de tu ubicación. Puedes investigar allí primero mientras yo sigo averiguando lo que se pueda.

—Perfecto, ahora hablaré con Freddie —le digo—. Tenemos que ver si podemos relacionar a Dust con las otras víctimas del Estrangulador. Además hablaré con Junior a ver si a través de su amiga, la diputada, tiene más información acerca de Stacy Thompson.

—Bien —me dice Andrew—, dile a Freddie que me mande todo lo que tenga a mí también.

—Gracias, Andrew —le digo cuando estoy por cortar, pero me interrumpe.

—Espera —me dice—, una cosa más. Kim y Alain están volando a Los Ángeles, deben llegar allí en una hora.

—Pero ¿por qué? —pregunto sorprendida.

—Cuando me llamaste, lo hablé con ellos —me explica—, supusimos que podías necesitar refuerzos.

—Gracias de nuevo.

Corto y me quedo pensando. Dust no tiene el perfil de asesino serial. De nuevo regreso a mi hipótesis inicial de espionaje industrial. Quizás por eso logró tener tanto dinero en tan poco tiempo. Dust es dueño de una empresa energética, Stacy era ejecutiva de una petrolera, básicamente, eran competencia. ¿Qué información estarían compartiendo?

Viernes, 15 de julio, 5:30 p. m.

—Hola, Freddie —saludo a Tanaka por teléfono mientras manejo hacia la casa de la madre de Dust.

—Hola, amiga —me contesta. Sé que cuando no usa mi nombre es porque tiene agentes del FBI cerca—. ¿Estás bien?

—Sí, ¿por qué lo preguntas?

—Sabía de tu misión y vi las noticias —responde Freddie—. Dos más dos son cuatro.

—Precisamente de lo que viste en las noticias quería hablar contigo —le explico—. Quiero que me des toda la información que tengas sobre el Estrangulador. Tengo una pista de quién podría ser, creo que es el hombre con quien se encontró mi clienta. También dale esos datos a Andrew.

—Bien —contesta—. Les enviaré todo lo que hay a los dos, pero ya me adelanté porque supuse que me harías esta llamada.

Me gusta cuando funcionamos como equipo y se adelantan a mis movimientos, me da más seguridad. Me siento apoyada.

—Debo decirte que no hay mucho al respecto —continúa—. Es más, me atrevería a decir que es una investigación bastante descuidada, casi negligente.

—¿Crees que estén encubriendo a alguien? —pregunto.

—No tengo forma de asegurarlo —me explica—,

pero me parece muy raro que no tengan ningún sospechoso o que no lo haya grabado nunca una cámara de seguridad. O es invisible o alguien quiere que no lo vean.

Esto me acerca un poco a Dust. Es un hombre poderoso, tiene los recursos para sobornar a quien sea necesario. Esto va de la mano con su súbito enriquecimiento. ¿Pero por qué un hombre así se convertiría en un asesino serial? Que realice algún tipo de estafa no lo convierte en homicida. Además, ¿por qué comenzaría a matar justo después de convertirse en el dueño de semejante empresa?

—Si ya has visto los informes, ¿hay algún crimen que se le adjudique antes de los últimos tres meses? —le pregunto.

—No —me responde—. No hay ningún asesinato anterior que coordine el *modus operandi* con el de las víctimas. Son todas mujeres divorciadas, empresarias exitosas que se hallaban en un lugar al que no solían ir.

Estos psicópatas pueden estar inactivos mucho tiempo hasta que algo los hace reaccionar. Algún acontecimiento en los últimos cuatro meses hizo que liberara su impulso asesino, pero convertirse en dueño de una gran empresa difícilmente podrá ser ese disparador, debe haber algo más que coincida con esa fecha.

—Bueno, es todo entonces. —Estoy por cortar cuando se me ocurre consultarle algo más—. ¿Qué hace tu jefe Smith en California?

—¡Diablos! —exclama Freddie—. No sabía que había ido para allá. Esta mañana no vino a la oficina, pero no dijo a dónde se iba. Si tuviera algo que ver con el Estrangulador, aparecería en los registros. No sé cómo te encontró, pero sin duda fue por ti. Luego de lo que pasó con Nash, él sabe que algunos en la oficina te conocemos y apreciamos, no quiere correr el riesgo de alguna filtración que te ponga sobre aviso.

—Yo tampoco sé cómo me encontró —le digo—. ¿Puedes investigarlo?

—Haré lo posible —me contesta—. Pero ten cuidado, por algo le dicen el Sabueso.

5

SÉ TODO LO QUE NECESITABA SABER

En las afueras de Los Ángeles, California
Viernes, 15 de julio, 7:30 p. m.

Llego a un barrio elegante en los suburbios de Los Ángeles. No es Beverly Hills, pero se nota que vive mucha gente adinerada, incluso podría haber alguna que otra estrella de Hollywood por la zona. Busco la dirección que me pasó Andrew y encuentro el lugar. Es una casa hermosa, no tan grande como la de los vecinos, pero claramente debe valer una pequeña fortuna. Al menos, Evan Dust mantiene bien a su madre. Doy un rodeo y encuentro un centro comercial a pocas cuadras. Dejo la camioneta allí, si la dejara en la calle cerca de cualquier casa, en unos minutos tendría un patrullero investigando. El cachorro me lame, pidiéndome bajar.

—Quédate aquí —le digo—. Vuelvo enseguida.

Cuando lleguen Kim y Alain, hablaré del tema del

perro. Mi idea era devolvérselo, pero ahora ya no sé qué hacer. Me estoy encariñando.

Luego de caminar unos minutos llego a la casa de la madre de Dust. Su nombre es Evangelina Shepard, no usa el apellido Dust, que debe de ser el de su esposo. Con sigilo me escabullo por un lateral de la casa para llegar al patio trasero. Ya es de noche, así que logro hacerlo sin ser vista. El perro del vecino advierte mi presencia y comienza a ladrar, por lo que no debo perder tiempo. Me meto por un ventanal abierto. Escucho ruidos en la escalera y me escondo detrás de una columna. Es una mujer la que baja, de seguro se trata de Evangelina. La veo pasar hacia la cocina desde donde estoy. Tiene entre sesenta y setenta años, es muy difícil saberlo con seguridad porque está muy bien arreglada, aun para encontrarse en casa. Tiene el aspecto de una empresaria o ejecutiva retirada que conserva su elegancia.

Voy a aprovechar el momento para subir por la escalera y revisar las habitaciones, pero suena el timbre y me oculto de nuevo. Evangelina vuelve a pasar junto a mí y contengo la respiración. Llega a la entrada, mira por la mirilla y suspira. No la veo, pero supongo por el silencio que se está demorando unos instantes en abrir, tal vez duda de hacerlo. Al fin se oye el rechinar suave de la puerta.

—Hola, madre.

Escucho la voz de un hombre saludarla, debe de ser Evan. Quisiera asomarme para comprobarlo, pero sería muy arriesgado, estoy casi al descubierto y me vería de inmediato. La mujer no le responde, la oigo caminar y veo por el reflejo de la ventana que se aleja de la entrada para acercarse hacia mí. Escucho que la puerta se cierra, Dust ya está adentro.

—¿Qué haces aquí? —pregunta la mujer al detenerse sin mostrar nada de empatía en el trato.

—Vine a Los Ángeles por negocios —responde Dust — y pensé en pasar a saludarte.

—No quiero saber de tus negocios, y ya te dije que no vuelvas más por aquí —sentencia la madre con autoridad.

—Pero, madre, mira —dice el hombre—, te traje un obsequio.

—¡Imbécil! —responde la mujer y se escucha un movimiento brusco, luego el sonido de algo que cae al suelo y rueda casi hasta mis pies. Alcanzo a ver lo que han arrojado. Es un anillo. Lo observo bien y lo reconozco, es el anillo con el gran diamante que usaba Stacy. Ahora no tengo dudas, fue Dust.

—¿Crees que con una baratija puedes comprarme? —afirma la mujer entre ofendida e incrédula.

—No es una baratija, mamá —responde Dust como si fuera un niño—. Tiene un diamante.

—¿Sabes qué? —dice Evangelina—. Creo que eres más estúpido que el vago de tu padre.

—No digas eso, mamá —pide Dust casi lloriqueando —. Papá era un buen hombre.

—¡¿Un buen hombre?! —grita la mujer, enfurecida —. ¡Todavía siento sus sucias manos en mi cuello cuando le pedí el divorcio! Pero era tan inútil que ni matarme pudo. No hacía nada bien. Como tú, un apostador que se gastaba mi dinero.

—No soy un inútil, mamá —contesta Dust, que

ahora parece estar enfadado—. Soy el dueño de la empresa de energía solar más grande de este país.

—Sí, claro —contesta ella, mofándose—. Eso ya me lo dijiste hace tres meses, cuando volviste a tocar ese timbre luego de seis años sin recibir noticias tuyas.

—¿Y por qué no te alegras por mí? —pregunta él.

—¿Alegrarme? —le increpa como si no pudiera creer la estupidez de su hijo—. ¿Por qué habría de hacerlo? Aún sigo siendo tu madre. Cuando huiste de Los Ángeles lleno de deudas de juego, porque me rehusé a seguir dándote dinero, me sentí culpable. Así que, al año de no saber nada de ti, hice que te buscaran. Fue una gran sorpresa ver que tenías una carrera meteórica, que ascendías como tocado por una varita mágica. No lo podía creer, te conozco bien, nunca has trabajado, quería saber qué inescrupuloso atajo tomaste. Así que investigué más. Descubrí que todos tus jefes renunciaban o morían de forma prematura, allanando tu camino. Trabajé toda mi vida para llegar hasta donde llegué y sé que las cosas no suceden como te sucedieron a ti. No sé a qué demonio le vendiste tu alma, pero te puedo asegurar que tarde o temprano te la cobrará, y no es con anillos con lo que le podrás pagar. ¿Cómo podría alegrarme viéndote ir al infierno?

—¿Por qué no puedes aceptar que llegué más alto que tú? —dice Dust de manera petulante.

—Porque no lo has hecho —responde ella resignada, con una huella de lástima en sus palabras—. Aún no entiendes nada. Yo puedo caminar con la frente en alto, tú no. No sé en qué clase de hampón de guante blanco te has convertido, pero ya no me interesa. Como lo fue tu padre, eres un perdedor y siempre lo serás. Mi último buen deseo para ti es que no termines como él.

—Claro que no terminaré como él —murmura Dust y se va dando un portazo.

Permanezco inmóvil, esperando a ver lo que hace Evangelina. La escucho alejarse y me asomo. Logro ver que se sienta en un sillón de la sala y comienza a llorar. Está de espaldas a mí. Recojo el anillo del suelo y salgo de la casa. Sé todo lo que necesitaba saber.

6

¿CÓMO ATRAPAMOS A ESE BASTARDO?

Los Ángeles, California
Sábado, 16 de julio, 10:30 a. m.

Anoche, luego de salir de la casa de Evangelina Shepard, volví al motel y llamé a Freddie. Le conté todo lo que había visto, quería saber su opinión.

—Lo que me acabas de contar coincide con el perfil del asesino —me confirmó—. Como dice en el informe que te pasé, es un sociópata que se enfoca en mujeres exitosas de mediana edad y las mata por estrangulación. Estas mujeres son figuras de poder femenino a las que quiere someter. Investigué la historia de su familia y encontré algo que puede ser revelador. Su padre murió en un accidente durante una riña casera. Aparentemente, cuando la esposa le pidió el divorcio, el hombre enloqueció y quiso estrangularla. Ella logró zafarse, y al empujarlo, el hombre cayó golpeándose la cabeza, lo cual causó su muerte. La justicia declaró a la mujer inocente, se alegó defensa propia. Además, el padre de Dust ya tenía denuncias por violencia, por lo que no hubo dudas sobre lo ocurrido. Si Evan Dust era muy cercano a su padre, podría haber crecido en él un resentimiento hacia su madre que canaliza atacando a mujeres que la representan. Todo coincide con lo que viste en la casa, él quiere terminar la tarea de su padre, matando a su madre una y otra vez con cada víctima. El dato de que en ninguno de los casos hubo abuso apunta en el mismo sentido, no se trata de crímenes sexuales.

—Es lo mismo que pensé yo —le confirmé—. Quizás el ser rechazado por su madre luego de seis años fue lo que disparó esta locura. Ahora el tema es probarlo.

—Eso es más complicado —me dijo—. En el hotel no aparece su nombre y el pago de la tarjeta de crédito que encontró Andrew ya fue eliminado del sistema. También fue borrada la grabación de la cámara de seguridad del *parking* y la del bar donde Evan y Stacy se encontraron. Es decir, cualquier evidencia que podría haber sido registrada, ya ha desaparecido.

La conversación con Freddie me dejó una sensación de impotencia. Si tienes el suficiente dinero, puedes hacer lo que quieras y nadie lo impedirá. Sin embargo, siento que hay algo que se me escapa, algo que no alcanzo a ver, pero que está allí. Por más que Dust arregle las cosas con dinero, hay alguien que toma ese dinero y alguien que lo entrega. No me imagino que él mismo sea capaz de cubrir tantos detalles. Hay alguien más protegiéndolo.

Esta mañana me levanté temprano, antes del amanecer. Sentí la necesidad de abandonar el motel y mantenerme en movimiento. Con el FBI pisándome los talones, no es conveniente permanecer mucho tiempo en un mismo lugar. Manejé unos minutos, y antes de subir a la autopista para venir a Los Ángeles, me detuve a desayunar en la única cafetería que encontré abierta.

Mientras esperaba mi pedido, café y *hotcakes*, estuve mirando el anillo que recogí del suelo en la casa de Evangelina. Revisé las redes sociales de Stacy desde mi móvil. Encontré muchas fotos en las que se ve con claridad el diamante en su dedo anular. Sería muy fácil para la justicia identificarlo si se lo propusiera. Pensé que si la policía encontrara a Evan Dust con este anillo, podría relacionarlo con la víctima. Sin embargo, no creo que sea suficiente para incriminarlo. Sé que es el asesino, puedo sentirlo, pero no puedo probarlo. Con evidencia circunstancial como esta, no alcanza. Debería obtener una confesión de su parte o atraparlo con las manos en la masa, sería la única forma de mandarlo a prisión.

Luego de desayunar, tomé mi camioneta y entré a la autopista. En poco tiempo estaba aquí, en pleno Los Ángeles. Dejo el vehículo donde puedo y camino al hotel en el que se encuentran Kim y Alain. Veremos qué podemos hacer.

La puerta del elevador se abre y sale Kim con una gran sonrisa. Me levanto del sillón en el vestíbulo para recibirla. Nos damos un fuerte abrazo.

—Es un sitio económico pero agradable —me dice Kim mirando a su alrededor—. Sobre todo, limpio.

—Eso es lo más importante —respondo sonriendo—. ¿Dónde está Alain?

—No lo sé —me contesta Kim—. Me dijo que tenía que investigar algo. Pero que vendría pronto. ¿Te gustó el cachorro?

—¿Tú estabas al tanto? —pregunto, sabiendo su respuesta de antemano.

—Sí —me dice con timidez, como pidiendo disculpas —. Le contamos sobre la muerte del viejo Bob y dijo que te regalaría un nuevo perro. Le dijimos que tal vez no era el momento, pero no nos escuchó. Precisamente, acerca del perro era lo que quería investigar.

—¿A qué te refieres? —la interrogo.

No me lo explicó por completo —me dice—, pero parece ser que te llegó un día más tarde de lo debido. ¿El cachorro está bien? ¿Cómo se llama?

—Aún no le puse nombre —contesto, pensando en ello por primera vez—. Creo que una vez que lo haga, será mío y no habrá vuelta atrás. No estoy segura de aceptar esa responsabilidad. Pero está muy bien, míralo.

Le envío a su móvil la foto que tomé ayer, cuando estaba echado a mis pies en la cama.

—Es hermoso —dice Kim—. Se la reenviaré a Alain.

—Sí, es hermoso —confirmo—, pero no hemos venido a hablar del perro. ¿Verdad?

—Verdad —me contesta resignada—. Pero tener una charla banal cada tanto nos recuerda que estamos vivas y que no es tan malo.

Le tomo la mano. Sé lo que intenta hacer y se lo

agradezco. En los últimos años ha sido la persona que siempre me hace sentir que no todo es muerte y delito, que si lo queremos, podemos disfrutar un poco también. Supongo que el regalo de Alain tiene que ver con lo mismo. Traer un poco más de vida a mi vida. Mis amigos se preocupan por mí.

—Me acaba de llegar un mensaje de Alain —me dice mientras revisa su móvil—, me avisa de que se demorará un poco más.

Me resulta extraño que Alain no esté aquí, pero es parte de su personalidad ocultar algunas cosas. Supongo que aparecerá más tarde con una nueva excusa.

—Muy bien —continúa Kim, enderezándose en la silla—. ¿Cómo atrapamos a ese bastardo?

7

SOMOS DEL FBI

Los Ángeles, California
Sábado, 16 de julio, 11:40 a. m.

Mientras tomamos un café con Kim, viendo nuestras posibilidades, me llega una llamada de Andrew.

—Confronté las fechas de los crímenes contra las fechas en que Dust utilizó la vieja tarjeta de su madre —me dice Andrew—. En el último año, esta tarjeta se usó nada más cinco veces y las fechas coinciden con cinco de los nueve homicidios del estrangulador.

—Es como si su madre pagara por los crímenes —le digo como si pensara en voz alta.

—No lo sé —responde Andrew—. Me resulta difícil entender a la gente, y menos a mentes tan retorcidas como esta. Pero averigüé algo más.

—¿Qué? —pregunto, esperando una respuesta que nos dé una pista de cómo continuar.

—Cada vez que viaja a Los Ángeles —prosigue—, se hospeda en el mismo hotel de lujo. Como el pasaje de vuelta a Nueva York lo tiene para mañana a la tarde, es de esperar que esta noche la pase allí.

—¿Puedes verificar que se encuentre en ese hotel? —pregunto, sabiendo que es nuestra única posibilidad de atraparlo. Una vez que vuelva a Nueva York, será muy difícil hacerlo.

—Ya lo hice —me responde—. No te puedo asegurar que se encuentre allí, pero en los registros del hotel figura que está alojado ahí desde hace tres días y todavía no ha realizado el *check out*.

Después del diálogo con Andrew, Kim y yo nos miramos, sabiendo que es nuestra oportunidad de intervenir.

—Puedo ir al hotel y sacarlo a la fuerza para hacerlo hablar —propongo enseguida.

—Creo que eso no serviría para mandarlo a la cárcel —aclara Kim con mucho sentido.

Es solo que, en el fondo, pienso que tal vez no sea necesario esperar a la Policía. Yo misma podría hacer justicia. Creo que Kim me leyó la mente y por eso se opone a esta primera idea.

—Puedo abordarlo en plan de seducción y actuar como carnada para atraparlo cuando intente matarme —propongo como segunda opción. Pero de nuevo veo el gesto de Kim y advierto que tampoco le gusta esta idea.

—Suponiendo que saliera todo bien —me explica—, no podrías declarar ante la policía porque terminarías también presa.

Otra vez Kim echa por tierra mi plan, lo que nos conduce a una sola posibilidad.

—Yo seré la carnada —dice Kim, cortando el silencio.

No me gusta la idea de ponerla en peligro, pero no tenemos más alternativa.

Alain comenzó la mañana dando vueltas por Los Ángeles. Se había preocupado los días anteriores porque el perro había estado perdido todo un día desde que lo envió. Lo compró en línea en una tienda de Los Ángeles y de allí debía de ser mandado directo al hotel vía Fast Pack, una de las empresas de entregas más importantes del estado. El trabajo debía de ser realizado en el día, como se aseguraba en el momento de la transacción. Nada podía salir mal. Sin embargo, a pesar de haber recibido la notificación de entrega exitosa, el perro no aparecía. Esto lo preocupó, se trataba de un ser vivo y no sabía cuánto tiempo iba a permanecer Ainara en el hotel para recibirlo. Por eso comenzó a llamar. La tienda le decía que lo había entregado «en tiempo y forma», mientras que Fast Pack aseguraba que el animal ya estaba en destino. El perro se perdió. Si bien al otro día, cuando otra vez le llegó el aviso de entrega, se quedó tranquilo porque el animal estaba bien, algo le seguía haciendo ruido. En su experiencia como contrabandista, cualquier laguna en el traslado de la mercancía que sea, podía ser una señal de peligro y era necesario saber dónde estuvo cada producto en todo momento.

Por eso lo primero que hizo a las diez de la mañana fue acercarse hasta la oficina de distribución regional de

Fast Pack. Allí le dijeron que el animal llegó por la noche y que fue entregado a la mañana a primera hora. Le mostraron el registro de entrada a las veintiún horas y le explicaron que cuando un producto era recibido después de determinado horario, en lugar de enviarse directo al cliente, era remitido al centro de distribución para entregarse al otro día.

De ahí se dirigió entonces a la tienda de mascotas en la que lo había comprado. Quería verificar que lo habían entregado con retraso. Pero no fue así, le explicaron que fue entregado a tiempo, dos horas después de que él realizara la transacción. Incluso le mostraron la constancia de entrega con la firma del empleado de Fast Pack que lo fue a buscar. ¿Por qué tardó ocho horas en llegar de la tienda al centro de distribución en lugar de ir directo al hotel? Alain había pensado que resolvería esta inconsistencia en un rato y luego se encontraría con Ainara. Por lo que, al no encontrar respuesta, dudó sobre lo que debía de hacer. Podía dejar las cosas así, como un misterio intrascendente sin resolver y olvidarse del tema, o seguir adelante hasta encontrar la razón del tiempo perdido y quedarse tranquilo. Algo en su interior le dijo que debía buscar la causa de esta situación, así que decidió dedicarle un esfuerzo más al caso.

Fue entonces cuando le escribió a Kim para avisarle de que se demoraría un poco más y, mientras, recibió la foto del perro.

Pensó en revisar de nuevo los *e-mails* de entrega exitosa y recién allí se dio cuenta de que el número de *tracking* era distinto. Ambos estaban a su nombre, pero el número era diferente. Lo mismo sucedió con los dos documentos que le mostraron y a los cuales les había sacado fotos. Entonces, vio que el papel del centro de distribución decía que había sido recibido en una dirección distinta a la de la tienda. Hacia allí se dirigió.

Es una casa de empeño. Alain ingresa al local y lo atiende un hombre de lentes.

—Buenos días —dice Alain—. Quisiera hacerle una consulta que puede resultarle extraña. Ayer compré un perro en una tienda de mascotas y parece que por error fue entregado aquí.

—¿Un perro dice? —repite el hombre.

—Sí —responde Alain con una sonrisa.

El hombre aprieta un botón de lo que parece el intercomunicador.

—Aquí alguien pregunta por el perro —dice, poniéndose serio.

—Ya vamos.

Se escucha por el aparato.

Alain se da cuenta de repente que había cometido un error, que algo anda mal y está tentado a salir corriendo, pero no tiene oportunidad. Dos hombres de traje gris salen de la parte trasera del local, uno de ellos con una pistola, el otro mostrando una placa.

—Quédese quieto —dice el que sostiene la placa—, somos del FBI.

8

¿POR QUÉ NO?

Hotel de lujo en Los Ángeles, California
Sábado, 16 de julio, 7:20 p. m.

Hace una hora que Kim se registró en el hotel en el que deberíamos de encontrar a Evan Dust. Desde entonces lo estamos esperando. Yo me he quedado en el vestíbulo y ella en el bar. Tenemos un intercomunicador y cada una puede escuchar a la otra.

Lo veo entrar al hotel y dirigirse al elevador.

—Atenta, Kim —digo por el intercomunicador—. Dust acaba de entrar, parece que se dirige a su habitación.

—¿Qué hacemos? —me pregunta.

—Será mejor que vengas al vestíbulo —le digo—. No sabemos si irá al bar.

La veo venir a Kim y, al llegar, se sienta en un sillón frente a mí. Yo sigo con mi libro abierto, mirándola solo de reojo. Ella saca su móvil y empieza a escribir algo. Suena el mío. Así que bajo el libro y lo reviso.

—Tengo una idea —me dice Kim por WhatsApp.

—Dime —le contesto.

—Espera que le estoy haciendo una consulta a Andrew.

SUENA el teléfono en la habitación y Dust atiende.

—Buenas noches, señor —dice la voz en el teléfono —. Podría acercarse, por favor, a la recepción porque tenemos un problema con su tarjeta de crédito.

—¿Qué tipo de problema? —pregunta Dust molesto.

—La entidad precisa una verificación de datos de parte suya por un tema de seguridad —responde la voz en el teléfono—, solo demorará un minuto.

Dust cuelga el teléfono y sale de la habitación.

UN MENSAJE LLEGA al WhatsApp de Kim, es de Andrew.

—Listo, ya hablé con Dust. Está en camino.

Kim se levanta, satisfecha de que la treta haya funcionado. Se dirige a la recepción. Se para junto al mostrador y comienza a hojear unos panfletos con atracciones turísticas. Entonces, se abre la puerta del elevador y sale Dust. Kim lo ve y se aproxima al recepcionista.

—Hola, mi nombre es Kim Wong, del cuarto 322 —dice—. Me dijeron que había un problema con mi tarjeta de crédito.

En ese momento, llega Dust.

—Un minuto, por favor —dice el recepcionista mientras revisa un ordenador—. Lo siento, no me aparece que haya ningún problema con su crédito, señorita Wong, debe haber sido un error.

—Me parecía —dice Kim, mirándolo a Dust—. Es una tarjeta sin límite y nunca tuve un problema con las tarjetas de crédito en mi vida, no iba a empezar ahora.

Dust le sonríe y le pregunta lo mismo al recepcionista.

—Estoy en la habitación 305 y me dijeron que había un problema con mi tarjeta de crédito.

El recepcionista se sorprende y vuelve a revisar el ordenador.

—¿A usted también la llamaron por la tarjeta? —le pregunta Kim, buscando conversación.

—Sí, es extraño —contesta Dust—. Mi tarjeta tampoco tiene límite y nunca me ha pasado algo así.

—Disculpe, señor Dust —dice el hombre, manteniendo su compostura, pero notoriamente preocupado por lo que está pasando—. En el sistema me aparece todo bien, le pido disculpas en nombre del hotel por cualquier inconveniente que le hayamos podido ocasionar. —Luego la mira a Kim—. Lo mismo a usted, señorita Wong, perdón por la molestia.

—No hay problema, pero que no vuelva a suceder —dice Kim con autoridad y después se dirige a Dust—. Mañana tengo una reunión importante y pretendía acostarme temprano. Ahora que me hicieron bajar de la habitación, creo que tomaré un trago. Fue un gusto conocerte.

Luego de decir eso con su mejor sonrisa seductora, Kim da media vuelta y se dirige hacia el bar. Dust la mira de arriba abajo mientras se aleja.

—Disculpa —dice Dust, dando un paso rápido para alcanzarla, y ella lo mira por arriba del hombro—. Estoy en la misma situación que tú, mañana vuelo a Nueva York, pero no me vendría mal un trago. ¿Me permites que te invite?

—¿Por qué no?

Responde Kim y comienzan a caminar juntos. Por un instante, mira hacia los sillones del vestíbulo y ve a Ainara sonriendo.

9

A TODO PERRO HAY QUE PONERLE COLLAR

Los Ángeles, California

Sábado, 16 de julio, 8:00 p. m.

ESCUCHÉ la conversación entre Kim y Evan Dust sin verlos. Yo continuaba en el vestíbulo mientras ellos tomaban unas copas en el bar. Su sola voz me resulta desagradable. Apenas comenzaron a beber, él inició sus burdos intentos de seducción. No entiendo cómo alguna mujer puede entrar en ese juego. Hizo alarde de su dinero y de su virilidad, era bastante básico. Es incomprensible también como alguien con tan pocas luces haya llegado a tener tanto dinero.

En determinado momento se detuvo a observar el audífono que lleva Kim en el oído izquierdo y que utilizamos para comunicarnos. Ella le explicó que era hipoacúsica de ese oído, que sufrió un accidente de pequeña que la dejó en esa condición.

Ella desempeñó su papel con excelencia: podría ser actriz. Se presentó como ejecutiva de una empresa automotriz oriental que quería ingresar en el mercado norteamericano. Él le habló de su gran empresa y de sus contactos a todos los niveles, le dijo que incluso la podría ayudar. Ella dejó muy en claro que estaba en una posición de toma de decisiones y que no necesitaba ayuda de nadie. En más de una oportunidad se burló de él, buscando alguna reacción. La reacción llegó de inmediato cuando ella dudó de su riqueza. Fue entonces que él la invitó a conocer su yate nuevo para que lo compruebe. Ella se hizo la difícil al principio, esperando mi aprobación para acceder a su invitación. Pero cuando él le aseguró que no navegarían porque aún no tenía la licencia para conducir un yate de semejante envergadura, yo le dije que aceptara y ella simuló dejarse convencer. Estaba claro que Dust intentaría realizar el crimen en ese lugar, donde tenía el poder absoluto y nadie que se le interpusiera, por lo que era nuestra oportunidad de atraparlo.

Después de que él mandara unos mensajes para que, según lo que le dijo a Kim, prepararan la embarcación, salieron en el coche de alta gama de Dust. Yo los seguí en la camioneta a una distancia prudencial para no ser descubierta. El cachorro se puso contento al verme, hacía un par de horas que estaba solo en la camioneta mientras estuvimos en el hotel. Me pidió salir, pero no tuve tiempo para eso, tendría que limpiar la alfombra en cuanto termine todo esto.

Pronto llegamos al atracadero donde se encontraba el yate, que esperaba con las luces encendidas. Quien lo haya dejado así también dejó un puente tendido y, por lo que alcanzo a ver, la puerta sin llave. Dust se aseguró de que estuviera todo listo y que no hubiera ningún testigo.

—¿Sabes manejar esto? —pregunta Kim mientras abordaban—. Me prometiste que no iríamos a ningún lado, que solo tomaríamos algo.

—Claro que lo sé manejar —dice Dust sonriendo—, pero no tengas miedo, ya te dije que no saldré a ningún lado.

Puedo escuchar en el tono de Dust que a cada minuto se va envalentonando más. A medida que se siente más en control de la situación, se advierte en sus palabras la violencia contenida que en cualquier momento va a estallar.

Le envío un mensaje a Alain que ya ha estado perdido demasiado tiempo y debería de estar aquí conmigo.

—Espero que tengas una buena excusa para no estar aquí —le escribo—, pero te necesitamos urgente.

Le mando nuestra ubicación a la espera de que reaccione y sigo escuchando el diálogo entre Kim y Dust. Pongo a grabar la conversación para utilizarla como evidencia, todo lo que podamos conseguir en este sentido será fundamental para ponerlo tras las rejas.

—¿Cómo es que los asiáticos dejaron a una mujer tan frágil llegar hasta tu posición? —pregunta Dust y advierto que la palabra frágil no es algo casual.

—No soy frágil —dice Kim con altanería para seguir con la provocación—, soy muy flexible, como una serpiente.

—Yo creo que eres demasiado segura de ti misma —

dice Dust, poniéndose serio—, tal vez seas flexible, pero solo te servirá para retorcerte.

La situación está por ponerse difícil para Kim, será mejor que comience a acercarme para entrar en acción en el momento justo. Solo debo grabar el audio del comienzo del ataque.

El teléfono vibra. No es momento para atender, pero por las dudas, veo quién me ha escrito. Es Alain. Por fin aparece. Me manda un audio.

—Ainara, acabo de escapar del FBI, me tuvieron prisionero varias horas. Le pusieron un rastreador al cachorro. De seguro el dispositivo está en el collar del perro que aparece en la foto que me enviaron, yo no lo encargué. Voy hacia donde están ahora.

—¡Mierda! —digo en voz alta—. Ven aquí, cachorro.

El perro se me acerca y le saco el collar. Lo reviso y encuentro el maldito aparato. Lo golpeo contra el tablero una y otra vez hasta que el rastreador estalla, produciendo un chispazo. Se lo vuelvo a colocar en el cuello.

—Ya está, cariño —le digo al perro—, los hombres malos no nos encontrarán más.

—Quiero ver cómo te retuerces, perra —me interrumpe la voz de Dust y se escucha el forcejeo.

—¡Ayuda! —grita Kim.

¡Diablos! Debo entrar ya. Salgo del vehículo, y cuando intento correr hacia el barco, se me interpone una camioneta negra, frenando de golpe. Trato de esquivarla y otro coche negro me cierra el paso.

—Deténgase, Pons —dice uno de los hombres que se bajó de la camioneta, apuntándome con un arma —. FBI.

Miro a mi alrededor y de pronto ya tengo a cuatro hombres apuntándome.

—En aquel yate está el Estrangulador a punto de cometer otro asesinato —les digo señalando la embarcación.

—Las manos en alto, Pons —continúa hablando el mismo hombre—. No intentes nada.

—¡A cuarenta metros están por matar a una mujer, estúpidos! —grito desesperada mientras escucho por mi audífono los chillidos de Kim—. ¡Hagan algo!

—Déjate de tonterías —ordena el hombre a la vez que oigo golpes y quejidos.

Entonces, veo movimientos en el yate. Kim se ha sacado de encima las garras de Dust y se asoma a cubierta pidiendo ayuda a los gritos. Los hombres del FBI giran para verla y yo me arrojo al suelo y ruedo bajo la camioneta.

—¡Alto ahí!

Escucho, pero salgo del otro lado del vehículo que se interpone en la línea de fuego. A pocos metros hay un puente que cruza el atracadero, separándolo del mar abierto. Subo mientras veo que Dust también ha salido a cubierta detrás de Kim, pero al ver los coches del FBI y que dos hombres armados caminan hacia ahí, da un paso atrás y se oculta. Sigo ascendiendo por la escalera sin dejar de mirar el yate. Kim está fuera de peligro. Dust ha rodeado la cubierta y bajado a un pequeño bote de motor. Ya estoy arriba del puente y veo que detrás de mí están subiendo dos agentes. Sigo avanzando, y cuando miro hacia adelante, me encuentro con el agente Smith apuntándome. Freno en seco.

—Al fin la tengo, señorita Pons —me dice sonriendo—. ¿Le gustó el regalo que le mandé?

Lo miro, haciéndome la tonta. Mientras evalúo mis posibilidades y escucho la pequeña lancha arrancando.

—Hablo del perro —dice Smith, satisfecho de sí mismo—. A todo perro hay que ponerle collar y correa.

Veo de reojo que Dust con su bote está por pasar justo debajo de mí y, en un movimiento rápido, salto la baranda del puente. Me arrojo al vacío y caigo sobre el bote, golpeando a Dust, que no lo vio venir. Tomo el timón y miro hacia el puente. Lo veo a Smith salir corriendo.

10

BUENAS NOCHES, OFICIALES

Costa de Los Ángeles, California
Sábado, 16 de julio, desde la mañana hasta las 8:15 p.m.

Cuando Alain atravesó la puerta trasera de la tienda escoltado por los dos agentes del FBI, se encontró con una oficina de operaciones encubierta. Le ordenaron sentarse y esperar. Hizo caso sin decir nada. Consideró que lo mejor sería cooperar. No sabía de qué se trataba esto y quería averiguarlo, debía tener paciencia. Al menos su instinto no se había equivocado, hizo lo correcto al investigar esa inconsistencia en los horarios de entrega de la mascota. Aunque por el momento hubiera terminado detenido, tenía la posibilidad de descubrir algo más grande de lo que se imaginaba.

Un par de veces quiso preguntar por qué lo tenían retenido allí, si él no había cometido ningún delito. La única respuesta que recibió fue la de que hiciera silencio.

Él volvió a obedecer y siguió esperando. En un momento, apareció un hombre que parecía ser quien daba las órdenes.

—Buenos días, Alain —dijo el agente del FBI con mucha tranquilidad—. Yo soy el agente López, el segundo a cargo de esta operación.

—No sé de qué me habla —respondió Alain, realmente no sabía a qué operación se estaba refiriendo—, pero en lo que a mí concierne, no tienen ninguna autoridad para retenerme en este centro clandestino contra mi voluntad. Así que me retiraré ahora mismo.

Cuando Alain se puso de pie, sintió una pesada mano en el hombro y una pistola en la sien. La mano lo volvió a sentar de un empujón.

—Tú no irás a ningún lado —dijo el agente López sin inmutarse. Alain no se atrevió a mirar al hombre que estaba detrás de él apuntándole—. Supongo que llegaste a nosotros investigando la ruta del perro —prosiguió el agente López—, fue muy astuto de tu parte. Sin embargo, ahora deberás esperar a que mi jefe, el agente Smith, atrape a tu amiga, la señorita Pons.

Recién entonces Alain comprendió de qué se trataba. Si bien suponía que estaba relacionado con Ainara, él también tenía su historia y había muchas razones por las que el FBI podría buscarlo. Pero esta vez no era por él, era por Ainara.

—Después de que la hayamos atrapado —añadió López—, se levantarán cargos formales en tu contra por encubrimiento y ser cómplice de una peligrosa fugitiva.

—No conozco al agente Smith, ni a ninguna fugitiva

peligrosa. Además, tengo derechos, ¿sabe? Esto es totalmente ilegal —reclama Alain, negando todo.

Está seguro de que no conseguirá nada con sus reclamos, pero, a pesar de todo, debe mantener una fachada. Como siempre dicen: todo lo que diga podrá ser usado en su contra.

—No tiene ninguna orden de arresto —continúa Alain, manteniendo su estrategia básica de negación—, así que déjeme llamar a un abogado o tendrá muchos problemas.

—Ya me cansé de oírte —dijo López y le hizo un gesto al agente que estaba detrás de Alain. De inmediato, sintió una cinta pegándose sobre su boca.

Alain quiso quejarse, pero fue imposible, ya no podía hablar. En ese instante, un dolor fuerte en una muñeca y luego en la otra lo inmovilizó. Le pusieron esposas que lo amarraron a la silla. Tironeó un poco, pero se dio cuenta de que era inútil, así que trató de relajarse. Debía pensar en cómo salir de esta y avisar a sus compañeros lo que le había pasado.

—Como te dije antes —continúa el agente López—, primero atraparemos a la exagente Pons, luego podrás llamar a todos los abogados que quieras.

El tiempo que permaneció sentado allí le sirvió para comprender con claridad lo que estaba sucediendo. Interceptaron al perro y le pusieron un rastreador, así de sencillo. Por eso es que lograban localizar a Ainara con tanta facilidad. Recordó la foto que le mandó Kim del cachorro y pensó que el dispositivo podría estar en el collar. También advirtió que tenían problemas con el aparato, ya que estaba funcionando mal, lo hacía de manera intermitente. Esta fue la principal razón por la que aún no la habían atrapado. Es por eso por lo que cada vez que se encendía la señal salían casi todos los agentes tras Ainara. Luego volvían cuando, por algún motivo, la captura era frustrada.

Alain cruzaba los dedos cada vez que salían, esperaba que no encontraran a su amiga. Sin embargo, lo que más ocupaba su atención era estudiar sus posibilidades de escape. Durante estas incursiones, solo quedaba un agente de guardia coordinando la operación y custodiando al improvisado detenido. Es que el lugar no estaba preparado para mantener prisioneros y esto podía jugar a su favor. Sabía que si iba a intentar escapar, debía hacerlo en alguno de esos momentos.

Al anochecer, comenzaron otro intento para atrapar a Ainara. En este caso, Alain simuló quedarse dormido. El agente que lo custodiaba, apenas salieron sus compañeros, aprovechó para ir al baño. Alain no perdió tiempo y tiró con fuerza de las esposas, arrancando el apoyabrazos de la silla a la que estaba aferrado. Pudo ponerse de pie y salir del rincón en el que lo habían dejado. Buscó un objeto contundente y encontró una gruesa herramienta de hierro. Se ocultó detrás de la puerta del baño, y cuando salió el agente, lo golpeó en la cabeza con fuerza. El hombre cayó y Alain lo empujó con un pie para ver si reaccionaba. No se movió.

—Perdón —le dijo al cuerpo que había tirado inconsciente frente a él.

Alain se agachó sobre el hombre y hurgó en sus bolsillos, buscando las llaves de las esposas. No las encontró.

Revisó los cajones que había en un par de escritorios y algunas cajas. Tampoco estaban ahí las malditas llaves.

—¡Diablos!

En uno de los cajones encontró su móvil, se lo habían quitado al entrar a esa habitación, pero supo dónde lo tenían guardado todo el tiempo. Lo primero que hizo entonces fue mandarle el audio a Ainara.

—Ainara, acabo de escapar del FBI, me tuvieron prisionero varias horas. Le pusieron un rastreador al cachorro. De seguro el dispositivo está en el collar del perro que aparece en la foto que me enviaron, yo no lo encargué. Voy hacia donde están ahora.

Fue todo lo que pudo decir, no tenía tiempo que perder y tampoco podía hacer mucho ruido. No sabía quién podría estar al otro lado de la puerta fuera de esa sala.

Lo siguiente fue quitarle el arma al hombre desmayado. Ahora tenía que salir. Sabía que afuera estaría, al menos, el dependiente de la tienda. Así que salió a punta de pistola y, al encontrarlo solo y de espaldas, le puso el arma en la nuca. El hombre levantó instintivamente las manos.

—Dame la llave de las esposas —ordenó Alain.

—No tengo ninguna llave —contestó el sujeto con las manos arriba.

Alain martilló el arma y ese sonido hizo recapacitar al dependiente.

—En este cajón —dijo el hombre, señalando uno que estaba bajo el mostrador con el índice de la mano derecha sin bajarla de donde se encontraba.

—Sácala muy despacio y con la mano izquierda —indicó Alain, presionando con el cañón en la nuca.

El hombre bajó la mano izquierda casi en cámara lenta. Abrió el cajón y extrajo la llave.

—La mano arriba —dijo Alain y el hombre volvió a levantarla. Recién entonces Alain le quitó la llave y pudo sacarse las esposas.

Alain, ya con libertad de movimiento, le puso una mano en el hombro y lo guio hacia la sala de atrás. Con las esposas que aún traía consigo, Alain atrapó una muñeca del dependiente. Luego lo esposó al agente tendido en el suelo, pero pasando la cadena entre las patas de una mesa atornillada al suelo. De esta manera, quedaron los dos inmovilizados. Después se guardó el arma en la cintura y, cuando estaba por irse, se detuvo. Miró a su alrededor y encontró lo que buscaba. Agarró la cinta y les cerró la boca tanto al dependiente como al agente que seguía inconsciente.

Volvió a ir a la parte delantera de la tienda. Se asomó a la puerta y no vio a nadie, ya era de noche. Salió y caminó hasta que logró conseguir un taxi.

—¿A dónde vamos? —preguntó el chofer.

—Dame un segundo —contestó Alain.

Revisó el móvil para ver si tenía alguna respuesta de Ainara. Encontró la ubicación que le había pasado, así que decidió ir hacia allá para ayudar en lo que sea.

—Vamos al puerto —le dijo entonces al taxista—. Yo te guío.

Sábado 16 de julio, 8:45 p. m.

Casi al mismo tiempo que la policía, Alain llega al embarcadero en donde se encuentra el yate de Dust. Siguió las coordenadas que le pasó Ainara y se bajó del taxi una cuadra antes.

A medida que se acerca, estudia la escena para decidir lo que debe hacer. Puede ver una camioneta y un coche negro que arrancan y salen a toda velocidad del lugar. También ve que otra camioneta negra está aparcada en la mitad de la calle, cerrando el paso a cualquier vehículo. Allí se detuvieron las patrullas. Los policías bajan y corren al encuentro de dos hombres de traje gris que rodean a una mujer. Es Kim. Alain la ve y camina a paso firme en esa dirección.

Uno de los policías, luego de hablar con los hombres de gris, corre hacia la camioneta. Saca su arma y, acompañado por otro oficial, examinan el vehículo. Entonces, uno de ellos abre la puerta y sale el cachorro. Los policías se miran entre sí y uno de ellos lo toma por la correa. Alain se detiene, duda. Ve a pocos metros la camioneta negra con las puertas abiertas, al igual que los patrulleros. Todos los agentes se han dispersado, así que tiene el camino libre. Algunos fueron al yate, otros interrogan a Kim y los últimos registran los alrededores con linternas.

Alain aprovecha la confusión y retoma el paso hasta llegar a la camioneta negra, ve que en el asiento trasero hay una chaqueta azul del FBI. Alain no duda, la agarra y se la pone. Entonces, camina hacia los policías que tienen al cachorro. Al llegar a ellos, estos lo miran.

—Buenas noches, oficiales —dice Alain—, yo me encargo del perro. Ustedes revisen la camioneta y establezcan un perímetro para que nadie se acerque.

Los policías obedecen. Alain da media vuelta con el cachorro y comienza a alejarse. La observa a Kim, quien logra verlo, pero muy rápido mira hacia otro lado. Alain sigue caminando con el *rottweiler* hasta alejarse de la escena del crimen. Por lo que vio, Kim no corre ningún riesgo. Debe averiguar qué sucedió con Ainara, encontrar un vehículo para huir de allí y poner al cachorro a salvo.

11

ME ACERQUÉ AL ANILLO

Costa de Los Ángeles, California
Sábado, 16 de julio, 8:15 p. m.

Apenas tomé el timón, Dust se levantó e intentó venirse encima de mí. Le di un codazo que lo obligó a retroceder. Intentó volver a atacarme, pero le pegué una patada en la rodilla que lo hizo caer de bruces. Bastó que le diera una patada en la quijada para que cayera dormido como un bebé. Este bastardo no tiene idea de con quién se metió. Ya era hora de que una mujer lo pusiera en su lugar, me alegra haber sido yo quien lo hiciera. En realidad, quería tener esta oportunidad para darle una paliza, no me molestaría verme obligada a darle de nuevo. Vaya a saber, además de las mujeres muertas, cuántas otras debieron de pasar por las manos de este asesino.

Cinco minutos después, estoy lo bastante lejos como

para arrimarme a un muelle y detener el bote. Maniobro hasta allí y apago el motor.

Ato a Dust por las muñecas a la estructura de la lancha con la soga de amarre. El asqueroso sigue dormido como si nada, así que le doy un par de bofetadas hasta que reaccione.

—No te ves tan macho en este momento —le digo, alejándome de él una vez que despierta. Él termina de darse cuenta de su situación y trata de zafarse de las ataduras. No lo consigue.

—¿Quién eres? —me pregunta aún con arrogancia pese a sus situación.

—Soy la mujer que te llevará a la cárcel —le digo con una sonrisa mientras hurgo en el bolsillo trasero de mi *jean*. Extraigo lo que buscaba. Dust ve como le acerco el anillo de diamante a la cara y se lo muestro.

—¿Cómo obtuviste eso? —me pregunta sorprendido. La última vez que lo vio fue en casa de su madre, por lo que debe de estar retorciéndose por dentro. A este tipo de hombre le gusta tener el control, se siente poderoso con ello. Acaba de comprender que está muy lejos de eso, por lo que va entrando en zozobra.

—Eso no importa —le respondo. Cuanto menos información le dé, más descolocado y vulnerable estará —. Lo que sí importa, y le interesará a la policía, es dónde obtuviste tú este anillo. Me encargaré de que sepan que pertenecía a tu última víctima, Stacy Thompson.

Me acerco, le meto la mano en el bolsillo del pantalón y le saco la billetera. Extraigo los mil doscientos dólares que traía.

—Esto es para cubrir mis gastos —le aclaro mientras reviso sus tarjetas de crédito. Él no sabe cómo reaccionar. Encuentro la que quería, la extensión de su madre que usó en los homicidios. Arrojo su billetera al suelo del bote y miro alrededor. Encuentro lo que parece una caja de herramientas y la abro. Hallo dentro una cinta adhesiva. Sonrío porque es justo lo que necesitaba. Le pego con cinta la tarjeta de crédito y el anillo en el pecho. Veo que en la caja también hay un marcador indeleble. Pensaba usar mi lápiz labial, pero esto es mucho mejor. Le escribo entonces en la frente: ESTRANGULADOR.

Doy un paso atrás y observo mi obra de arte. Le tomo una foto con el móvil. Creo que será suficiente. No nos podemos fiar de lo que haga la policía, así que ya veremos cómo hacerle llegar a los medios toda la información que tenemos. Doy la vuelta para irme sin decirle más nada.

—No me dejes aquí, Ainara. —Al escuchar mi nombre en la boca de este hombre, la sangre se me congela. ¿Cómo diablos me conoce? Me vuelvo y lo miro sorprendida. Veo que su actitud ha cambiado, como si, a pesar de la situación, volviera a tomar el control—. Disculpa que no te reconocí antes —continúa hablando con un gesto desagradable—. Pero tu color de cabello me despistó.

—¿Cómo es que sabes quién soy? —pregunto acercándome despacio. Ahora sí que no comprendo lo que está sucediendo y estoy a punto de darle un buen golpe.

—Todos en el Anillo te conocemos —dice Dust y al oírlo me recorre un escalofrío por la espalda. Fue como si una pesadilla se convirtiera en realidad. Yo llegué a pensar que estaba paranoica y que veía señales del Anillo por todos lados que en realidad no existían. Pero esto me demuestra que cualquier cosa es posible con esta gente. Están en todos lados ¿Cómo se relaciona este asesino con el Anillo?

—¿Qué sabes de mí y del Anillo? —lo increpo, tomándolo de la solapa del saco. Más le vale contestarme porque lo golpearé tan duro que no volverá a atreverse a decir mi nombre.

—Suéltame, Ainara —responde otra vez con arrogancia—, y te contaré todo lo que sé. Creo que te gustará oír lo que tengo que decir.

—No intentes jugar conmigo —le digo mientras le suelto la solapa y le pego un puñetazo para que no se olvide quién manda. Me vuelvo a alejar—. Habla y tal vez no te mate.

—Sé muchas cosas sobre el Anillo que te pueden interesar —prosigue Dust luego de escupir sangre. Se hace el importante y a mí me dan ganas de volver a noquearlo—. En realidad, Ainara, primero que nada, tengo que agradecerte. No imaginaba que tendría esta oportunidad.

—¿Agradecerme? —pregunto cada vez más confundida.

—Así es —me contesta y continúa con su explicación —. Cuando hace más de seis años mataste al antiguo líder del Anillo, facilitaste el ascenso al control de la organización, a gente que había estado relegada por mucho tiempo. Uno de estos jefes era alguien con quien estaba en deuda y para el que hacía algunos trabajos. Los encargos se multiplicaron gracias a este cambio de autoridades y comencé a obtener mejores beneficios por mis servicios. Gracias a tu acto de venganza es que yo llegué a donde estoy.

—Toda esa historia antigua no me interesa —le digo mirándolo con desprecio. Saber que mi accionar ayudó a una escoria humana como esta me repugna. No lo mato ahora mismo porque prefiero que se pudra en la cárcel—. En cualquier momento llegará la policía y no tendrás forma de escapar. Si es el Anillo el que te ha cubierto hasta ahora, creo que llegaste a un punto en que te soltará la mano.

—Yo también lo creo —me dice y lo siento sincero. Creo que ha comprendido que está perdido—. Por eso no me interesa guardar más sus secretos. Si me liberas, te diré quiénes son sus líderes y qué es lo que intentan hacer ahora. Si ellos avanzan, este país dejará de ser lo que es.

Este hombre me hace dudar. No estoy segura de lo que debo hacer, liberarlo luego de todo lo que hizo sería una locura. Sin embargo, comienzo a pensar en la posibilidad de darle un golpe mortal al Anillo y no quiero dejarla pasar. Tal vez sea mejor llevarlo conmigo antes de que llegue la policía. Si su información es lo que asegura, podría desbaratar la organización del Anillo para siempre. Luego me encargaría de él. Todo lo que hizo le costará caro y, de una u otra manera, se lo voy a cobrar.

—Te sacaré de aquí —le digo mientras tomo una decisión improvisada, no puedo seguir dudando, y siempre tendré la posibilidad de entregarlo cuando quiera—, pero si intentas engañarme… Dijiste que me conoces, así que sabes lo que te puedo hacer.

Dust asiente con la cabeza, por lo que me acerco

para desatarlo. Sin embargo, advierto que de repente se acercan a toda velocidad dos embarcaciones de la prefectura. Iluminan en nuestra dirección con sus reflectores. También veo las luces de los patrulleros llegar por la calle a lo lejos. No podré escapar con Dust a cuestas. Tampoco puedo dejarlo libre y correr el riesgo de que se escape.

—Lo siento, pero estás por tu cuenta. Encontraré otra forma de acabar con el Anillo —le digo y me lanzo por la borda. Escucho antes de caer al agua que me grita algo, pero no lo entiendo.

El agua me llega hasta la cintura y camino con esfuerzo en la oscuridad para llegar al muelle. Me oculto allí abajo, y cuando puedo, salgo del agua. Logro escabullirme justo antes de que lleguen las patrullas. Esto no salió como esperaba. Si bien logré sacarme de encima al FBI cuando encontré su rastreador y atrapé a ese cerdo luego de las idas y venidas, me queda un gusto amargo en la boca. Lo más importante de todo se me escapó, me acerqué al Anillo, pero no pude hacer nada.

12

SMITH APRIETA LA MANDÍBULA

Costa de Los Ángeles, California
Domingo, 17 de julio, 10:15 p. m.

Kim tuvo una noche agitada. Luego de ser interrogada brevemente por los agentes del FBI que vio Alain, fue asistida por los paramédicos. Los agentes que la vieron en ese momento estaban allí por Ainara, y no tenían ni idea de lo que había sucedido con Kim o Dust. Fue por eso que sus preguntas fueron solo de compromiso. Se encontraron con un ilícito inesperado y tuvieron que actuar.

Después de los paramédicos, que solo debieron curarle unas laceraciones en el cuello, fue revisada por el equipo forense. La policía, ya enterada de lo que había pasado, hizo lo que dictaba el protocolo. Al haber un sospechoso de secuestro e intento de homicidio, llamó a los forenses. Ellos fotografiaron las marcas dejadas por las manos de Dust y tomaron muestras de tejidos bajo las uñas de Kim, ya que ella les contó que se defendió arañando a su agresor. También revisaron todos los lugares donde Kim les indicó que habían estado. Tomaron huellas, medidas de todo tipo y fotografiaron la escena en detalle.

Luego de tratar con los forenses, Kim tuvo que relatar todo lo acontecido por tercera vez al detective Mike Friendow. Se ajustó al relato que había planeado con Ainara de antemano. Habían contado con Junior para esto, ya que él debió conseguir el respaldo de la diputada. Es que iba a ser necesario explicar la presencia de Kim en ese barco y, para eso, la diputada amiga, Eva Longobardi, de Junior era una pieza fundamental. El relato ideado con Ainara decía que Kim era una investigadora privada de Nueva York contratada por la diputada para investigar la muerte de su amiga Stacy Thompson. Kim tenía la licencia de investigadora desde hacía cuatro años, por lo que todo concordaba. Por medios que no podía explicar debido al secreto profesional, averiguó que Stacy había visto a Dust en el hotel la noche de su muerte. Lo investigó, descubrió la pista de las tarjetas de crédito, decidió buscarlo y abordarlo para interrogarlo. Según este discurso, lo que sucedió después se le escapó de las manos, nunca pensó que ella misma podría convertirse en una víctima.

Pese a haber repetido la historia tantas veces, primero al FBI, luego a los forenses y en tercer lugar al detective Friendow, lo más complicado llega al final, cuando reitera el relato, por cuarta vez, ante el agente Smith, a quien poco le interesa el asunto de Dust.

—En su declaración —dice el agente Smith, yendo

directo a lo que le importa— aseguró que realizó este trabajo sola.

—Sí —asiente Kim con naturalidad, ya sabe en qué sentido vendrán las siguientes preguntas.

—Sin embargo —prosigue Smith, poniéndose firme—, mis hombres declaran que Ainara Pons le estaba sirviendo de soporte en tierra.

—No sé nada de Ainara —responde Kim, haciéndose la sorprendida, esto también lo había preparado con Ainara en caso de que le preguntaran—, hace varios años que no la veo.

—No es necesario que me mienta —continúa Smith mirándola fijo, como si con esa mirada la pudiera amedrentar—. Sabemos que Ainara estuvo en el mismo hotel de Stacy Thompson la noche de su muerte. Yo mismo la vi a unos pocos metros de aquí mientras usted estaba en el yate. No lo niegue más, estaban juntas en esto.

—Tal vez se equivocó de persona —dice Kim haciéndose la inocente, pero rondando la burla—. No sé quién estaba aquí afuera, yo estaba sola con Dust. Cuando salí a la borda, pidiendo ayuda y vi a los hombres de traje, no sabía que eran agentes del FBI. Recién cuando los vi con las armas y se acercaron a la embarcación, me di cuenta de que eran ustedes. Le agradezco mucho su presencia, si no hubieran estado aquí, no sé lo que me hubiera pasado.

—¿Entiende que se está metiendo en problemas al mentirme? —pregunta Smith bastante molesto, quiere terminar con esta farsa, pero no tiene herramientas para hacerlo. Lo único que le queda es presionar hasta que se quiebre.

—No le miento, agente —contesta Kim sin inmutarse, no debe abandonar nunca su guion. Mientras los agentes se acercaban al barco y Dust venía tras ella, tuvo tiempo de quitarse el auricular y el micrófono. Los arrojó al agua por la borda y corrió hacia los agentes para protegerse del asesino. En ese momento fue que Dust emprendió la fuga. Kim sabe que si no encuentran el intercomunicador, no hay forma de que la conecten con Ainara y, aun así, deberían encontrar también el intercomunicador de Ainara y verificar que estuvieran emparejados, lo cual es imposible—. No sé lo que sucedía fuera del barco, pero me alegro de que hayan estado allí. No fui consciente del peligro que corría hasta que Dust me atacó. No volveré a cometer ese error.

No está cooperando, señorita Wong —dice Smith nuevamente amenazante y casi entrando en ira. Lo que haya sucedido con Dust y sus errores como detective privada no le interesan en lo más mínimo, así que irá por todo—. Me temo que la debo llevar detenida.

—¿Por qué? —pregunta Kim nerviosa, esto no estaba en los planes.

—Por ser cómplice de una peligrosa fugitiva —concluye Smith ya cansado de esa situación. La toma de la muñeca y comienza a llevarla hacia una de las camionetas.

En ese momento, se acercó el detective Mike Friendow con un civil de traje azul.

—¿Qué está sucediendo, agente? —pregunta el detective al ver ese movimiento inusual.

—Esta mujer está bajo arresto —dice Smith, que ni siquiera se detiene.

—Espere un momento —pide el detective Friendow, interponiéndose en su camino—. Este es el doctor Jones, el abogado de la señorita Wong.

Kim se sorprende al verlo, no lo conoce. Pero cuando elaboraron el plan para atrapar a Dust, tuvieron en cuenta que deberían tratar con la policía, por lo que tendrían que contar con un abogado, y Junior se encargaría de eso. No imaginaba, sin embargo, que apareciera tan rápido.

—Estoy aquí para acompañarla a su hotel, señorita Wong —afirma el abogado como si no viera la situación tensa que se estaba produciendo.

—A la señorita Wong me la llevaré arrestada —insiste Smith mirando fijo al detective e ignorando al abogado, que está viendo la escena.

—No comprendo —dice el abogado mirando al detective, como esperando una explicación—. ¿Mi clienta está acusada de algo?

—No —responde Mike Friendow balbuceando, está sorprendido por la actitud de Smith y, al ver que dos de sus agentes se aproximan y se paran detrás de él, empieza a creer que esto puede ser un problema—. No hay ningún cargo en su contra, puede retirarse —indica luego, recuperando la compostura, tiene claro que la mujer no cometió ningún delito, o al menos, nadie la ha acusado de nada—. Sin embargo, como testigo principal, por el momento, no puede dejar el estado.

—Nada de eso —interfiere Smith, tratando de imponer su autoridad y aún sosteniendo a Kim del brazo

—. A partir de ahora me hago cargo de la investigación y ella queda bajo mi custodia.

—Muéstreme la orden de arresto —dice el abogado recurriendo a la ley. Está seguro de que el agente no tiene nada.

—No necesito ninguna orden —afirma Smith de manera prepotente y, cuando intenta retomar el paso, el detective Friendow se le vuelve a poner delante.

—Lo siento, agente Smith —dice Mike Friendow, queriendo ser educado, pero estableciendo su posición—. Yo estoy a cargo del caso, no usted. Hasta que no reciba una orden de arriba diciendo lo contrario, usted no tiene autoridad para arrestar a nadie. Además, por lo que tenemos hasta ahora, la señorita Kim no ha cometido ningún delito y no hay ningún motivo para mantenerla retenida. Al contrario, es la víctima aquí y debe ser protegida. Por lo que le recomiendo que la suelte si no quiere que yo mismo levante cargos en su contra.

—No te atreverías —dice el agente Smith, pero advierte de repente que están siendo rodeados por uniformados.

El agente Smith aprieta la mandíbula. Se da cuenta de que sus amenazas no harán mella en el detective a menos que tenga a la ley de su lado. Sabe muy bien que no la tiene. No quiere iniciar un conflicto con la Policía que pueda complicar su investigación, así que le echa una última mirada a Kim. La suelta, da media vuelta y se marcha.

13

ES UNA PESADILLA

Comisaría de Santa Mónica, Los Ángeles, California
Viernes 22 de julio, 10:15 a. m.

Junior llega a la comisaría en la que se encuentra detenido Evan Dust mientras se realiza la investigación. Se presenta como Alexander Mundy, abogado de la empresa de Dust. Junior está acostumbrado a desempeñar este papel, estudió leyes, así que tiene las bases para simular ser un letrado de Dust. Sin embargo, Junior espera que no lo reciba nadie de más de cincuenta años, ya que la identidad que le fabricó Andrew en esta ocasión pertenece a un ladrón de una serie de televisión de los años sesenta. Él ni siquiera conocía esta serie, pero por las dudas, googleó el nombre y lo encontró. Sabía que por más que le hubiera pedido a Andrew que no hiciera más eso su amigo no dejaría de bromear de esta manera.

—¿Cuántos abogados tiene este hombre? —pregunta el oficial que lo recibe cuando Junior muestra sus credenciales. Es un hombre obeso mayor de cincuenta años. Esto lo pone nervioso a Junior, pero continúa en su rol.

—Somos muchos —responde sonriendo, está seguro de que los verdaderos abogados ya deben haber pasado por aquí, pero no le preocupa, no es extraño que haya más de un abogado en casos tan graves. Lo bueno es que este policía no ve series viejas de televisión—, probablemente vendrá alguno más.

Le toman los datos y no tiene inconvenientes. Pasa el registro de los policías. Le permiten ingresar y lo conducen hasta la sala de entrevistas.

—¿Tú quién eres? —pregunta Dust al verlo ingresar a la sala. Lo hace desde la silla a la que se encuentra esposado. Le dijeron que se encontraría con uno de sus abogados, pero al hallarse frente a frente no lo reconoce. Dust piensa que puede ser un hombre del Anillo que vino a amenazarlo.

—Soy Alexander Mundy —dice Junior mientras ve alejarse al agente que lo escoltó hasta el lugar y se sienta en otra silla, mesa de por medio. Luego lo mira a Dust y le explica—, me envió la doctora Pons.

Dust respira profundo y comprende lo que está pasando. Es justo lo opuesto a lo que esperaba. Desde que fue apresado estuvo aguardando que el Anillo se contacte con él. El no recibir noticias al respecto es peor que recibirlas. Significa que el Anillo lo ha abandonado, y si es así, cuando sepa algo del Anillo, eso será lo último.

—¡Ah! ¿Qué tiene la doctora Pons para ofrecerme? —pregunta Dust, recobrando su soberbia característica a pesar de no estar en condiciones de mantener esa actitud —. ¿Cómo me sacará de aquí?

—Primero debe darme la información sobre el Anillo y luego veremos qué se puede hacer —responde Junior tratando de imponer las reglas de esta negociación. Sabe, en definitiva, que depende de la buena voluntad de Dust, ya que, aunque quisiera, no podría sacarlo de ningún modo.

—Mire, señor Mundy —dice Dust inclinándose hacia adelante en su silla—. Sé quiénes son los líderes de la organización, conozco las leyes que quieren sacar y para qué las quieren. Incluso estoy enterado de cargamentos de armas y sus destinos. Sé todo lo que necesitan para atacar al Anillo.

—Empecemos por las armas entonces —dice Junior, creyendo que valió la pena haber venido a esta entrevista, al fin tendrán algo con qué atacar al Anillo.

—Bueno, empecemos —prosigue Dust siguiéndole, en apariencia, el juego a Junior—. ¿Cómo me sacarán?

—Estamos trabajando en eso —miente Junior descaradamente, ni se le cruza sacarlo de allí, ni siquiera lo habló con el resto del equipo. Su misión era llegar a Dust y sacarle la información que pueda—, pero debes darnos algo comprobable primero.

—Si crees que he llegado a donde estoy siendo un estúpido, estás muy equivocado —dice Dust poniéndose firme, se acabaron los juegos. Quiere saber cómo lo sacarán y no dirá nada hasta que eso suceda—. Primero me sacan y luego hablo.

—¿Hasta dónde has llegado? —pregunta Junior.

—¿Qué? —pregunta Dust sin comprender.

—Me dijiste que no habías llegado hasta aquí siendo estúpido —prosigue Junior—. No creo que llegar hasta aquí haya sido algo muy inteligente —concluye Junior mirando alrededor y abriendo los brazos. Trata de que recapacite, haciéndole notar que toda su supuesta inteligencia solo lo llevó a la cárcel.

—Estás detenido y, gracias al buen trabajo que realizamos, terminarás en prisión de por vida. Nosotros somos tu única posibilidad de salir de aquí de una pieza. Así que comienza a hablar —le dice como ultimátum.

—Okey —responde Dust reclinándose en la silla—. Entonces, me llevaré lo que sé a la tumba. Lo cual creo que sucederá pronto. Gracias a su «buen trabajo», no habrá forma de que salga impune por mis «actividades recreativas». Mi vida no valdrá un centavo dentro de la cárcel, así que no tengo nada que perder. Me tienen que sacar y hacerlo pronto, no me queda mucho tiempo.

—Lo siento entonces —dice Junior poniéndose de pie, se da cuenta de que el hombre no hablará y sabe que cada minuto que se encuentre allí corre el riesgo de ser descubierto. Es hora de marcharse—. Es tu decisión terminar así, no la nuestra.

Junior no tuvo más opción que levantarse e irse. Supo que Dust no diría nada y no sabía qué más hacer, así que no insistió. Le hizo señas al guardia que se encontraba al final del pasillo, le abrieron la puerta y, luego de recuperar algunas de sus pertenencias que dejó en la entrada antes de entrevistar a Dust, salió de la comisaría.

Lo primero que hace al entrar a su coche rentado es coger el teléfono y llamar a Ainara. Debe contarle lo que ha sucedido.

—Lo siento, Ainara —dice Junior con frustración apenas reconoce la voz de su amiga al otro lado—. No tuve ningún éxito. Dust no hablará a no ser que lo saquemos de allí.

—¡Maldito! —exclama Ainara y su voz suena furiosa en el teléfono. Junior lamenta no haber conseguido nada y piensa que debe probar con otra cosa.

—Yo volveré a Nueva York —continúa Junior al notar que Ainara no tiene nada para decir—. Andrew tiene vigilada la casa de Dust. Iré a entrevistar a su esposa, alguna información debe tener sobre las actividades ilícitas de su marido. Tal vez al enterarse de los crímenes del padre de sus hijos se le afloje la lengua.

—Gracias, Junior —responde Ainara tratando de calmarse, ella también debe probar otra cosa—. Sé que hiciste todo lo que pudiste. Que tengas un buen viaje.

14

DUST ES LA CLAVE PARA LLEGAR AL ANILLO

Algún lugar de Los Ángeles, California
Viernes, 22 de julio, 10:50 a. m.

Corto la comunicación con Junior y me siento frustrada. Arrojo el teléfono sobre la cama como si el aparato tuviera la culpa de algo. Estoy en otro motel, en la otra punta de la ciudad. Ya sin el rastreador que había en el collar del perro, no hay ninguna posibilidad de que me encuentren. Al menos eso está solucionado.

Miro la pared de la habitación y veo una serie de imágenes, recortes y apuntes que fui pegando con cinta. Traté de encontrar un patrón, un esquema que me guíe hacia el Anillo. Pero solo tengo pistas inconexas que no me dicen nada. Stacy por un lado, Dust, la diputada, la empresa de energía solar y rumores, muchos rumores de conspiración. Ainara está segura de que los asesinatos cometidos por Dust fueron algo realizado por su cuenta.

Sin embargo, la transacción que realizó con Stacy pudo haber tenido que ver con el Anillo. Aunque así sea, sin Dust no tienen nada. Lo único que podía poner un poco de lógica a este desorden era la información que este asesino tenía para darnos. Me acerco a la pared y miro la imagen de Evan Dust.

—¡Bastardo!

Le grito a la foto y la arranco de la pared. Miro el resto de las notas y estrujo la foto de Dust en la medida en que me lleno de ira. Sin la información de este cerdo, todo esto no sirve para nada. ¡Mierda! Tiro todo al suelo y pateo la pared. Me doy vuelta y camino por la habitación como un tigre enjaulado. Qué bien que me vendría un trago ahora. Tuve en mis manos la posibilidad de saber todo sobre esta organización que me ha arruinado la vida y que terminará destruyendo el país, pero se me escurrió como agua entre los dedos.

A veces creo que está todo planificado, que por algún motivo estoy destinada a enfrentarme al Anillo una y otra vez. Sin importar lo que haga, cuántas veces frustre sus planes o a cuántos de sus miembros elimine, ellos siguen ganando. Se reproducen y crecen más rápido de lo que acabo con ellos. Es desesperante. Es una pesadilla de la que nunca me despierto.

Era un trabajo sencillo cuidar a Stacy Thompson. Pero la mataron, entonces decidí atrapar al asesino y mandarlo a prisión. Lo hice, pero luego de lograrlo, lo único que quiero es que esté de nuevo afuera, parece una mala broma.

Suena mi móvil. Me acerco a la cama y lo recojo. Lo reviso. Son Kim y Alain, me avisan de que están en la puerta. Los estaba esperando. Camino hasta allí y les abro. Kim entra primero y me abraza. No la veía desde el incidente del puerto. Estuve preocupada por ella hasta que me escribió horas más tarde. Me avisó de que estaba en el hotel a salvo, también me contó de Smith y el detective que la salvó, quien parece alguien honesto. Quedamos en no vernos porque ella se encontraba con custodia policial como testigo en el caso de Dust y porque, además, el FBI la tenía vigilada para llegar a mí. Hoy tuvo que hacer toda una maniobra evasiva, ayudada por Alain, para que pueda salir del radar del agente Smith. Según me avisó Freddie, ya está de vuelta en Nueva York, aunque sus hombres nos continúan buscando.

Siento entonces unas uñas rascándome la pierna y ladridos agudos que requieren mi atención. Miro hacia abajo y veo al cachorro moviendo la cola, desesperado. Me agacho y le acerco la cara para recibir sus besos mientras lo acaricio. Alain suelta la correa y, luego de ingresar a la habitación, cierra la puerta detrás de sí.

—Perdón por no haberte ayudado en el yate —me disculpo con Kim apenas el perro deja de lamerme la cara y me permite hablar—. Me atraparon cuando me dirigía hacia allí.

—No te preocupes, Ainara —responde Kim queriendo tranquilizarme, esa es siempre su forma de actuar—. Sé todo lo que sucedió, no podías hacer nada. Lo bueno es que lograste escapar. Desde donde estaba, vi como saltaste del puente. La lancha podría haberte atropellado, o podrías haberte roto una pierna al caer.

—Estoy más grande —le digo sonriendo—, pero aún

me mantengo en buen estado físico.

Luego lo miro a Alain.

—Gracias por rescatar al cachorro —le digo mientras sigo acariciando al animal. La verdad es que lo extrañaba, no tiene sentido que le reproche a Alain su regalo, así que no lo hago. De ahora en más será mi perro.

—Lamento no haber podido hacer más —se excusa Alain, bajando la cabeza—. Me demoré mucho. Para cuando llegué, la acción ya había terminado.

—Pero seguiste tu instinto —le digo, haciéndole notar lo que logró hacer—, te pusiste en peligro porque había algo que no te cerraba. Seguiste una pista que cualquier otro hubiera desechado, fuiste atrapado por el FBI, permaneciste allí lo suficiente como para descubrir qué estaba pasando y luego conseguiste escapar. Por si esto fuera poco, me avisaste justo a tiempo del rastreador. Cualquier otro no se hubiera tomado la molestia de investigar la demora en la entrega del perro y todo hubiera sido peor. Estoy orgullosa de ti.

—Lo importante es que estamos todos bien —dice Kim para cerrar el tema de las disculpas.

—Es una forma de decir —aclaro. Aunque no quiera echar su buen ánimo abajo, no tengo más alternativa que ver la realidad—. Mi situación es la misma de siempre, pero Alain es ahora también un fugitivo y tú estás siendo constantemente vigilada por el FBI. Las cosas han empeorado.

—Nada que no resuelva un buen abogado —dice Alain, restándole importancia a las circunstancias—. Los del FBI me retuvieron sin orden judicial, fue algo ilícito. Nunca me mostraron una placa ni me leyeron mis derechos. Incluso puedo presentarles una querella por privación ilegítima de la libertad. Eso justificaría mis acciones atacando al agente en defensa propia. Además, ahora tenemos un buen abogado. Según lo que me contó Kim, el abogado que nos mandó Junior lo hizo muy bien.

—Admiro tu optimismo —le digo con cierto grado de ironía—. Me gustaría ver la cara de Smith si recibiera una denuncia por parte de Alain.

—No te preocupes tanto por nosotros, sabemos arreglarnos, tú nos has enseñado —interviene Kim, queriendo hacer que me relaje un poco—. Lo bueno es que ese cerdo está hasta el cuello y no escapará de esta. Espero que en la cárcel reciba lo que merece.

—Es verdad —afirma Alain—, pero deberíamos asegurarnos de que no se encubra la situación, y para eso lo mejor es acudir a la prensa. Yo sé que puertas tocar.

—Esta vez creo que el caso cayó en manos honestas —interviene Kim—, el detective Mike Friendow me dio buena espina. No creo que arroje la basura bajo la alfombra.

—Eso es lo que me preocupa, Kim —le explico y ella se me queda mirando—. Dust es la clave para llegar al Anillo. Una vez en prisión, estará firmada su sentencia de muerte. Y por más que lo merezca, perderemos nuestra única oportunidad de desbaratar esa organización de una vez por todas.

Kim y Alain se quedan pensando y de repente se miran con una sonrisa.

—Entonces —me dice Alain como si fuera a proponer lo más común del mundo—. No debe llegar a prisión.

15

PENSÓ QUE LO HABÍAN DESCUBIERTO

Santa Mónica, California
Viernes, 22 de julio, 11:00 a. m.

Vuelvo a llamar por teléfono a Junior. Creo que va de camino al aeropuerto en este momento. Kim y Alain escuchan la conversación mientras toman un café que fue a comprar Alain hace unos minutos. La propuesta de que Dust no llegue a prisión requiere, antes que nada, saber hasta cuándo permanecerá en la comisaría. Es aquí en que entra Junior.

—Necesitamos que vuelvas a la comisaría, Junior —le digo con un poco de vergüenza, no me gusta dar indicaciones contradictorias ni pedir esfuerzos innecesarios. Ir dos veces a la misma estación de Policía con una identidad falsa es demasiado—. Tenemos que averiguar cuánto tiempo permanecerá allí o si será trasladado a algún lado.

—Bueno —responde Junior con un tono de duda, lo toma de sorpresa este pedido—, pero sabes que no es seguro que vuelva allí.

—Lo sé —le contesto más avergonzada aún, entiendo que lo estoy poniendo en peligro—. Sé que es arriesgado que te vuelvas a exponer así, pero no te lo pediría si no fuera importante.

Entrar en una comisaría con una identidad falsa no es un juego. Menos aún hacerlo dos veces. Cualquier comunicación de los verdaderos abogados con la policía pondría en evidencia a Junior y quedaría arrestado de inmediato.

—¿Qué tienes en mente, Ainara? —me pregunta sabiendo que algo estamos tramando.

—Sacaremos a Dust antes de que vaya a prisión —le explico sin rodeos—. Por lo que hemos averiguado, las pruebas en su contra son demasiadas como para dejarlo libre. Pudieron contrastar su ADN con el encontrado en las demás víctimas y dio positivo. Por lo que no quedará en libertad condicional a la espera del juicio, sino que permanecerá detenido en prisión durante todo el proceso. Como no pueden tenerlo en la estación de Policía tanto tiempo, no tienen más alternativa que trasladarlo a prisión.

—¿Por qué lo quieres sacar? —pregunta Junior claramente sorprendido y, quizás, un poco molesto—. Si lo que queríamos era justo esto, que fuera a la cárcel. Salió todo perfecto. ¿Por qué arriesgarse así?

—No tenemos otra forma de acabar con el Anillo —contesto resignada. No sirve de nada meter a un asesino solo en prisión, teniendo la posibilidad de acabar con un ejército entero de ellos—. Sin Dust, no tenemos nada.

Comisaría de Santa Mónica, Los Ángeles, California
Viernes, 22 de julio, 11:49 a. m.

Junior hizo lo que Ainara le pidió. Le indicó al taxi que diera la vuelta y se dirigieron a la comisaría.

Al llegar, Junior vuelve a ponerse los lentes, que son parte de su caracterización como abogado, y entra al recinto policial. Cuando se aproxima al mostrador de recepción, se encuentra con el mismo oficial obeso que lo recibió hace un par de horas. El hombre se sorprende al verlo.

—Espéreme un minuto —le dice el oficial y sale de su sitio para atravesar una puerta justo detrás de él. Se demora un par de minutos en salir, durante los cuales Junior comienza a sentirse ansioso.

Cuando al fin vuelve a salir el oficial que lo atendió, lo hace con un gesto adusto. Ve que otros dos policías salen por la misma puerta y lo miran de reojo, pero siguen caminando hacia la entrada, donde se detienen. Uno de ellos dice algo por su intercomunicador y se quedan allí parados sin hacer nada. Junior siente deseos de salir corriendo. El ambiente está muy raro y piensa que lo pueden haber descubierto. Sin embargo, ya está allí y nada puede hacer. Tiene que seguir adelante.

—Dígame —prosigue el oficial—, ¿en qué lo puedo ayudar?

—Solo una cosa que olvidé averiguar —explica Junior, queriendo obtener la información lo antes posible y salir disparado de allí—. No sé hasta cuándo permanecerá mi defendido en esta sede y si es que ya está planeado su traslado.

—Aguarde un momento.

El oficial vuelve a hacerlo esperar y repite los movimientos realizados instantes antes. Va hacia atrás, como si cada interacción con Junior requiriera la aprobación de un superior.

Al poco tiempo, vuelve a salir y le alcanza un documento que Junior recibe y comienza a leer.

—Llene esto, por favor —le indica el oficial.

Junior sigue observando el papel y ve que es un formulario que le pide sus datos. Es para dejar por escrito su pedido. Lo mira al oficial.

—Es un certificado de requisitoria —prosigue el policía—. Para que quede asentado su pedido.

Junior llena el formulario y lo entrega. El oficial lo revisa y lo lleva, otra vez, hacia atrás. Junior está nervioso y vuelve a mirar hacia la salida. Policías y civiles entran y salen, pero los dos oficiales que vio al principio siguen apostados allí como vigilando algo. Al rato regresa el oficial.

—Evan Dust será trasladado el lunes por la mañana a la penitenciaría —explica el policía—. Si quiere, puede venir ese mismo día para presenciar las condiciones del traslado.

—¿A qué hora será? —pregunta Junior queriendo obtener todos los detalles posibles.

—Eso no está definido —responde el policía mirando su ordenador como si le esquivara la mirada.

—Muchas gracias, nos vemos el lunes entonces —miente Junior, sabiendo que nunca más se acercará a ese lugar.

Cuando va a cruzar la puerta, nota como los dos oficiales que permanecían apostados allí lo siguen con la mirada. Junior se apura a salir y muy rápido consigue un taxi. Esta vez irá hacia el aeropuerto y nada lo hará volver atrás. Espera alcanzar el vuelo que tenía reservado. Está muy sobre la hora, pero aún puede llegar. Por lo pronto, respira relajado. Pensó que lo habían descubierto en la estación de Policía, pero al parecer no fue así. Cree que fue solo su imaginación, realmente la pasó muy mal. Lo que Junior no sabe, ahora que bajó su nivel de estrés, es que un coche sin marcas de la policía lo sigue a corta distancia.

16

ES UNA TRAMPA

Santa Mónica, California
Lunes, 25 de julio, 9:30 a. m.

Después de que Junior nos pasara la información que obtuvo en la estación de Policía, debimos evaluar nuestras posibilidades. Decidimos que había que actuar cuanto antes.

—Atacaremos durante el traslado —dijo Alain mirándonos a las dos.

—Creo que es lo mejor —aprobó Kim—. La idea de sacarlo de la comisaría me parece demasiado peligrosa.

Con Alain y Kim acordamos entonces que sería más sencillo atacar durante el traslado.

No teníamos los detalles acerca del horario, la cantidad de guardias o la ruta que seguirían. Es por eso por lo que coordinamos una operación improvisada. La idea sería esperar fuera de la estación hasta que salieran los vehículos encargados del traslado, de ese modo resolveríamos el problema del horario. En cuanto a la cantidad de la escolta policíaca, el protocolo normal sería que Dust fuera llevado en una camioneta blindada acompañado por un patrullero, así que esperaremos que así suceda. Por último queda el problema de la ruta, el cual resolveremos sobre la marcha.

Estamos en tres coches separados. Kim espera fuera de la estación para seguirlos y avisarnos qué camino tomarán. Nosotros esperamos en las dos vías posibles. Cuando Kim nos diga la ruta, la idea es interceptarlos antes de que lleguen a la cárcel. Ya veremos cómo. Durante mis años como agente del FBI, coordiné decenas de operaciones similares, por lo que, a pesar de tener muchas variables, puedo llevar adelante esta misión con éxito.

—Ya salen —nos avisa Kim por el móvil apostada a metros de la comisaría—. Como especulamos, son una camioneta y una patrulla. Los sigo.

—Bien, Kim —respondo para confirmar que recibí el aviso—. Tenme al tanto. Alain —digo hablándole a mi amigo.

—¿Sí, Ainara? —me contesta él al instante.

—En cuanto los tengamos en la mira —empiezo a explicarle a Alain la forma en que procederemos—, yo daré la señal. Tú debes separar a la patrulla de la camioneta. Cuando la camioneta se detenga para esperar a la patrulla, yo entraré en acción. Kim…

—¿Sí, Ainara? —me confirma de inmediato.

—Tú mantente cerca —le indico—. Cuando salga con Dust, subiremos a tu coche.

—Entendido —confirma también Kim—. Ahora estamos doblando hacia la izquierda. Vamos en tu dirección, Ainara.

—Las alcanzaré en la avenida —nos avisa Alain—, diez cuadras adelante.

Cada uno sabe lo que tiene que hacer y busca su posición. Todo marcha según lo previsto. Veo acercarse la camioneta por el retrovisor, así que arranco y me coloco delante de ella. En un minuto aparecerá Alain y comenzará el show. Él dará el puntapié inicial, interponiéndose entre los dos vehículos. Luego será mi turno. Debo actuar rápido y ser certera, no quisiera hacerle daño a los policías. El teléfono suena, interrumpiendo mi concentración.

—¿Quién diablos llama ahora?

Veo el móvil y sale el nombre de Tanaka.

Oficinas del FBI, Nueva York
Lunes, 25 de julio, 9:30 a. m.

Tanaka, desde su escritorio, lo ve entrar apurado al jefe Smith. El hombre va a su despacho y toma unos papeles. Usa el cabello corto estilo militar. Freddie lo investigó cuando se hizo cargo de la oficina y averiguó que fue marine hasta que un accidente en la pierna lo obligó a dejar esa fuerza. Luego entró al FBI y se destacó de inmediato por su persistencia y astucia. Llegó en pocos años a convertirse en jefe, por eso es respetado e incluso temido por sus subalternos.

Sale de su despacho. Tanaka intuye que algo está sucediendo, se pone de pie y se le cruza sin intentar disimularlo.

—Buen día, jefe —le dice caminando hacia él—. ¿Se va tan temprano?

—Sí, debo tomar un avión en dos horas —contesta Smith, quien apenas se detiene—. El agente Edwards se queda a cargo.

—Ha viajado mucho en estos días —insiste Tanaka a riesgo de resultar sospechoso—. ¿A dónde va? En los informes no dice nada.

El jefe Smith se detiene de nuevo cuando iba a reanudar el paso y mira a Freddie con una sonrisa.

—Te preocupa tu amiga Ainara, ¿verdad? —dice Smith, tomando por sorpresa a Freddie con esa pregunta.

—No entiendo —responde Freddie, haciendo como que no comprende—. ¿A qué se refiere?

—No te hagas el tonto, Tanaka —continúa Smith viendo que Freddie oculta su verdadera preocupación en cuanto a Ainara—. Entiendo que fue tu compañera y mentora cuando eras un novato. Pero hace tiempo cruzó una línea que no debía de pasar. Ahora es una delincuente fugitiva a la que voy a atrapar. Su accionar es una vergüenza para el FBI y debemos remediarlo.

—Sé que por poco la atrapa hace unos días, jefe —dice Freddie tratando de sonar conciliador—. Pero por lo que escuché, ella ayudó a atrapar a un asesino serial. Eso debería de valer algo para usted.

—Mira, Tanaka —dice Smith ya cansado de esta charla—. No me importa lo que haga o pretenda hacer la exagente Pons. Solo me interesa lo que hizo cuando portaba nuestra placa.

El agente Smith le echa a Freddie una última mirada severa y comienza a irse. Freddie reacciona de manera inconsciente, tomándolo del brazo.

—Jefe —dice Freddie, poniéndose en una situación muy tensa—, estamos aquí para cuidar a la gente, no para vengarnos de nadie.

Smith mira la mano que sostiene su brazo sin decir nada y Freddie lo suelta.

—Debes revisar tus prioridades, Tanaka —dice Smith clavándole los ojos—. Decide de qué lado estás o terminarás como tu amiga. —Smith mira la hora en su móvil—. En este momento, mi equipo de Los Ángeles la debe estar atrapando. Hace tres días interceptamos a uno de sus secuaces, quien se hace pasar por abogado de Dust. De hecho, la Policía local lo quiso detener cuando apareció descaradamente en la comisaría. Pero justo estaba reunida allí mi gente y los convencieron de que lo dejaran ir. Pensamos que podía llevarnos a Ainara, pero fue hacia el aeropuerto. Así que intervenimos su teléfono. Estaban planeando rescatar a Evan Dust mientras es trasladado a la cárcel. Hice que lo trasladaran anoche. Si Ainara se atreve a atacar la camioneta, se llevará una linda sorpresa. Estoy yendo para allá, le mandaré tus saludos.

Smith termina de decir esas palabras y se marcha. Freddie se pone nervioso, pero no tarda. Va hacia el baño y llama a Ainara. El móvil suena hasta que ella atiende.

—Es una trampa —dice Freddie, desesperado—. ¡Aborten!

17

SACAREMOS A DUST

Santa Mónica, California
Lunes, 25 de julio, 9:40 a. m.

—¡Aborten! —por un instante permanezco como aturdida cuando escucho la voz de Freddie. Un momento después, reacciono.

—¿De qué hablas? —le pregunto, tratando de confirmar que entendí lo que me dijo. Debí poner a Kim y Alain en espera.

—Dust ya está en la cárcel desde anoche —me dice tratando de explicarme rápido—. La camioneta está llena de agentes del FBI.

Retomo la comunicación con Kim y Alain.

—¡Aborten! —grito ahora convencida—. Es una trampa.

—¿En serio? —pide confirmación Alain.

—Sí, no hagas nada —le digo mientras cruzo una

bocacalle y veo a Alain a través del parabrisas de su coche, quien se detiene y me mira desconcertado—. Den un par de vueltas y diríjanse al motel.

Luego del fracaso de la misión, les expliqué por teléfono lo que había sucedido. Estuvimos a punto de cometer un grave error y caer los tres presos. La alerta de Tanaka llegó justo a tiempo.

Antes de bajar del coche, llamé a Freddie para avisarle de que estábamos a salvo, pero él me dijo que aún no era así.

—Debes avisarle a Junior que desaparezca —me dijo Freddie con énfasis—. Ya saben quién es y tienen intervenido su móvil, por eso no lo llamé yo mismo.

Luego me explicó cómo descubrieron a Junior y nuestro plan. Entonces, le pregunté algunos datos más sobre Dust que él prometió investigar. Ahora que ya está en la cárcel, deberemos buscar otra salida.

—¿Qué hay de ti? —le pregunté al fin. Él y Andrew son los únicos que no están siendo buscados. Espero que puedan seguir de esa manera.

—Estaré bien —me contestó Freddie, restándole importancia a su situación—. Smith sabe que estoy de tu lado, pero no está al tanto de que lo hago activamente. Ahora que se frustró su trampa, puede llegar a pensar que tuve que ver con ello. Así que debo mantenerme al margen. De todos modos, él está viajando para allá ahora, por lo que no me molestará a mí, sino a ustedes. Destruye ese teléfono.

Apenas le colgué a Freddie, le mandé un mensaje a Junior para avisarle.

—Rompe tu teléfono y desaparece. Cuando tengas un número nuevo, escríbele a Alain.

—Okey —me respondió y luego dejó de estar en línea. Espero tener noticias de él pronto para explicarle todo. Las cosas están complicadas para cada miembro del equipo.

Entramos a la habitación en silencio. Kim y yo nos recostamos en la cama. Alain se sienta en una silla al costado nuestro.

—¿Ahora qué? —pregunta Alain mientras acaricia al perro. Siento que él se ha encariñado con el cachorro tanto como yo.

—No creo que se pueda hacer nada —responde Kim bocarriba en la cama sin dejar de mirar el techo—. Ahora que también tienen en la mira a Junior, ni siquiera podemos acceder a Dust en la cárcel.

Kim tiene razón. A Junior lo descubrieron luego de salir de la estación de Policía la primera vez, si no lo atraparon cuando volvió, fue porque tuvimos suerte, sabíamos que era arriesgado. Solo lo dejaron seguir adelante con la farsa para llegar a mí. Será mejor que Junior se quede en Nueva York. Si vuelve a acercarse a Dust, lo meterán en prisión a él también. Se nos acaban los recursos.

—Tal vez —dice Alain buscando una alternativa—, si Dust hiciera un trato con el fiscal, podría entrar al programa de protección a testigos a cambio de delatar al Anillo.

—¿Por qué crees que el fiscal no trabaja también para el Anillo? —pregunta Kim corriéndose un poco en la cama para dejarle espacio al cachorro, que acaba de subir. El animal se hace un bollito en el medio de las dos —. No creo que Dust confíe en nadie, no debería de hacerlo. Por eso apeló a Ainara, porque sabe que ella nunca se inclinará ante el Anillo. Él es consciente de que su única oportunidad de sobrevivir es mantener la boca cerrada, pero es apenas una chance, no es nada seguro.

Creo que Dust comprende que, aunque se quede callado, es cuestión de tiempo para que acaben con él. Por eso estaba desesperado para que lo saquemos de la comisaría. Se ha dado cuenta de que ya no está bajo la protección del Anillo, y aquella no es una organización que permita a sus miembros jubilarse. Cualquier retiro, en la circunstancia que sea, será una condena a muerte.

Advierto que Alain y Kim me miran, aguardando que diga algo. Quizás esperan que les anuncie que hemos terminado, que pueden volver a casa. Que no tenemos más opciones y que debemos renunciar a perseguir al Anillo. Así que diré algo.

—Las cosas se han complicado —afirmo y hago un instante de silencio para reflexionar. Entonces, cambio las palabras que estaba por decir, la ira puede más que la lógica—, pero me resisto a dejar que el Anillo vuelva a ganar sin presentar batalla. Sacaremos a Dust de la cárcel.

18

YA ERA HORA

Piso de Junior, Brooklyn
Lunes, 25 de julio, 10:20 a. m.

Luego de escribir «okey», Junior apaga el móvil. Lo mete en el bolsillo y suspira.

—¡Diablos! —exclama meneando la cabeza. Está llegando a su casa. Pensaba ir allí a estudiar la forma de llegar a la esposa de Dust, pero deberá cambiar de planes. Piensa que al menos puede pasar por su piso a buscar algunas cosas antes de, como dijo Ainara, desaparecer.

Da la vuelta a la esquina cuando ve un coche negro estacionado frente a su edificio. Gira y regresa unos pasos hasta quedar fuera del área de visión. No está seguro, pero ese vehículo podría ser del FBI. Tal vez no sea buena idea volver a su casa. Luego le pedirá a Andrew que pase por allí a recoger lo que necesitará.

Respira profundo otra vez. Quizás esté exagerando. Era solo un coche negro, nada más. Piensa que los años que lleva en este trabajo lo han hecho demasiado paranoico. Aun así, no regresará a su hogar por el momento. De todos modos se asoma para verificar que no fue nada. Entonces, ve dos hombres de traje gris que vienen directo hacia él. En cuanto lo ven, aceleran el paso. Junior se sobresalta y empieza a correr. Los hombres corren detrás de él. Junior se desespera y cruza la calle entre los coches que tocan bocina y frenan de golpe. Los agentes también se lanzan a la calle y más bocinazos e insultos se escuchan por todos lados. Junior no se había equivocado, eran del FBI y estaban allí por él. Nunca más subestimará su intuición. Sube a la acera al otro lado de la calle y entra a una construcción, un futuro rascacielos. Corre entre las vigas y pilas de materiales. Los agentes hacen lo mismo. Uno de ellos tropieza con una bolsa de cemento y cae al suelo. Se levanta lleno de polvo y sigue corriendo. Junior ve un vallado de casi dos metros de altura. Pisa una pila de baldosas y salta hasta colgarse del vallado a la altura de la cintura. La pila de baldosas cae y se desparrama por el suelo. Pasa una pierna, luego otra y salta al otro lado. El primer agente lo ve desaparecer detrás de la pared de madera. Corre hasta allí y mira hacia los costados, buscando por dónde salir. No hay salida, así que también trepa al vallado, pero sin la ayuda de las baldosas, le cuesta un poco más. Lo cruza, y cuando mira a su alrededor buscando a Junior, ya no lo encuentra. Se queda parado allí con las manos en la cintura, mirando hacia todos lados. Recién entonces llega su compañero, que cae a su lado todo sucio.

—Vamos hacia Queens —le dice Junior al taxista. Mira atrás y ya no logra ver a los hombres que lo perseguían. Los ha perdido. Hay una sola cosa que puede hacer ahora. Le hará una visita a Andrew.

Oficinas del FBI, Nueva York
Lunes, 25 de julio, 10:50 a. m.

Freddie esperó al teléfono, aguardando que pudieran evitar la trampa que el FBI les había tendido. Cuando recibió la confirmación de que estaban a salvo, les explicó cómo descubrieron a Junior y que a través de él los habían localizado. Ainara le agradeció y le hizo un encargo.

—Dust habló de cargamentos de armas —dijo Ainara, recordando que su último enfrentamiento con el Anillo tuvo que ver con lo mismo—. ¿El FBI sabe algo al respecto?

—Solo rumores —contestó Tanaka mientras hacía memoria—. Hay una investigación abierta al respecto, pero no es una prioridad. Muchas veces se habla de tráfico de armas, pero nunca se encuentra nada.

—¿Crees que sea un patrón? —le preguntó Ainara al escuchar que lo de las armas es algo que se repite.

—Es probable —respondió Freddie—. Es extraño que nunca se encuentre nada.

—Quiero que pongas el ojo en ese tema —indicó Ainara, buscando otra salida para llegar al Anillo—. No sé qué pasará con Dust, pero independientemente de eso, podemos investigar un poco al respecto.

Freddie se puso en movimiento de inmediato. Si bien le dijo al final que tendría que mantenerse al margen, podía aprovechar la ausencia de Smith para hacer una última investigación. Accedió a los registros sobre el caso de las armas. No encontró nada relevante, lo cual lo puso en alerta. Ha aprendido con el tiempo que todo lo que involucre al Anillo es encubierto una y otra vez sin importar de qué se trate. Cuando una investigación presenta estas características, pocos datos, relegada y sin seguimiento, es muy probable que haya encubrimiento. Y solo hay encubrimiento cuando hay poderosos detrás.

En el informe se habla de la última denuncia anónima sobre un cargamento de armas. Quien realizó la denuncia informó también sobre el lugar donde se podría encontrar el cargamento, un depósito de mercadería tecnológica en Arizona. Fue un dato muy específico como para ser inventado. Se revisó el sitio y no se encontró nada. Eso fue todo. Era claro que nadie quiso investigar a fondo, fue solo una formalidad para responder a la denuncia. Freddie piensa que es la única pista que tiene, así que verá qué puede encontrar.

Piso de Andrew, Queens

Lunes, 25 de julio, 11:50 a. m.

. . .

—¿No le contarás nada a Ainara? —pregunta Andrew luego de escuchar el relato de la persecución de Junior.

—No —contesta Junior, negando con la cabeza—. No quiero preocuparla aún más. Sabes cómo es. Si le cuento, me dirá que no intervenga, y todavía hay varias cosas que podemos hacer.

Luego de escapar de los agentes del FBI, Junior fue directo al piso de Andrew Collins, que era el único lugar donde podía esconderse. Después de que el anterior escondite de Andrew, en Brooklyn, fuera descubierto, el *hacker* debió cambiar su ubicación. Esa experiencia le hizo comprender que no podía vivir y tener su búnker en el mismo lugar. Por eso buscó una solución distinta. Encontró un edificio en el que alquiló dos pisos. Uno a su nombre, en el que vive y realiza su actividad legal como consultor en seguridad digital. Y otro piso a nombre de un inquilino ficticio, donde realiza sus operaciones para Ainara. Sabiendo esto es que Junior se dirigió hacia allí, podría quedarse en la propiedad encubierta hasta que se definiera mejor su situación.

—Necesito una nueva identidad —explica Junior, acomodándose en un sillón—. Tengo que hablar con la esposa de Dust. Con la excusa del inminente juicio a su marido, podremos sacarle información sobre sus contactos. Esperemos que eso nos lleve al Anillo.

—Bien —responde Andrew mirando uno de sus monitores—. Pero esta vez lo haré mejor, lamento no haberlo hecho bien la vez anterior, me confié demasiado. Te pido disculpas.

—No te preocupes —le dice Junior poniéndole una

mano en el hombro a su amigo—, todos nos confiamos demasiado y abusamos de nuestra suerte.

—Por eso esta vez no dejaré nada al azar —explica Andrew y presiona una tecla. En la pantalla aparece la imagen de una persona bastante parecida a Junior—. Este es el abogado Robert Middleton, trabaja como empleado administrativo en el bufete que representa a Dust. Nunca sale de la oficina ni atiende ni trata con gente externa a la empresa. Te convertirás en él. De ese modo, cualquiera que dude de tu identidad, podrá corroborarla con la nómina real de una compañía. Te prometo que se acabaron los nombres divertidos.

—Ya era hora.

19

ALGUIEN LO TIENE QUE HACER

SANTA MÓNICA, California
Martes, 26 de julio, 2:40 p. m.

—TENGO la información que querías sobre la cárcel —dice Andrew por el altavoz del móvil de Alain, que es el único que ha conseguido un número nuevo y seguro. Teniéndolo a Andrew lejos, no resulta tan fácil adquirir este tipo de recursos. De todos modos, Alain ya nos prometió que esta tarde se encargaría y que, para esta noche, volveríamos a estar comunicadas.

Andrew ya nos ha contado que Junior se encuentra a salvo con él. También nos explicó sus planes de entrevistar a la esposa de Dust y me aseguró que podrían hacerlo sin que Junior corriera más riesgos innecesarios.

Alain, Kim y yo nos encontramos escuchando a Andrew otra vez en el motel, esperando a decidir el nuevo plan de acción. En realidad, Alain y Kim pasaron la noche aquí, tomaron otra habitación haciéndose pasar por una pareja para estar más cómodos. Pensaron que, si nadie había logrado encontrarlos hasta ahora, era mejor no hacer cambios y continuar de esta manera.

—Te escuchamos, Andrew —le respondo, deseando que lo que tenga que decir sean buenas noticias.

—Parece que hemos tenido suerte —prosigue Andrew y pareciera que esta vez mi deseo se cumplió—, no es una cárcel de máxima seguridad, ni mucho menos. Como aún no tiene una condena efectiva, ya que todavía no se ha realizado el juicio, no lo mandaron a su reclusión definitiva. Por la naturaleza de sus crímenes, sería un lugar para homicidas y delincuentes extremadamente peligrosos. Por el contrario, lo han enviado a una prisión que alberga presidiarios con delitos menores, no considerados como peligrosos. Es más, este presidio es el primero con un programa piloto en el que los reclusos se autogestionan.

—¿Qué demonios significa eso? —pregunto al no comprender a qué se refiere.

—Básicamente —explica Andrew simplificando su relato—, no tienen carceleros.

—¿Cómo? —pregunta Alain enderezándose en la silla. Desde que ha llegado a Los Ángeles, Alain no se ha vuelto a afeitar, y lo que hasta hace dos días era una sombra en su rostro, ahora ya es barba. Esto hace que se vea mucho mayor de lo que es.

—Lo que escuchaste, Alain —continúa Andrew con su explicación—. El personal penitenciario se limita a vigilar el perímetro, pero la organización interna es realizada por los mismos presos.

—Es una locura —dice Alain, asombrado, mientras se rasca la barba—. En cualquier momento los delincuentes serán también los jueces.

Lo escucho sin decir nada, pero por lo que sé del Anillo, eso ya está pasando. Los delincuentes ocupan cada vez más lugares de poder.

—Al parecer —prosigue Andrew—, los reclusos hacen cursos para ocupar las distintas funciones y, de acuerdo con los resultados de su evaluación, logran acceder a los distintos cargos. La teoría dice que es una forma de promover el estudio y la autosuperación. Pero, en realidad, se ha transformado en un antro y centro de operaciones para pequeñas mafias, por lo que hay muchas quejas y presiones para terminar con ese programa y que se vuelva al sistema normal.

Mientras se sigan manejando de esta manera, es una forma de facilitarnos el trabajo —opina Alain sonriendo—. Es un delirio, pero nos viene muy bien. Por más autogestión que tengan, no creo que les den armas.

—Exacto, Alain —continúa Andrew con su explicación—. Los reclusos que ofician de guardias solo llevan bastones.

—¿Cómo entramos, Andrew? —le pregunto al ver que esto puede ser más sencillo de lo esperado.

—Hay tres posibilidades —explica Andrew—. Se puede ingresar como visita para ver a algún detenido, como personal de mantenimiento si hay que arreglar algo que ellos mismos no puedan solucionar, o como proveedor. Una vez a la semana les llevan alimentos y artículos de limpieza.

—Dijiste que los presos ocupan las distintas funciones

—intervengo al tener una idea de cómo proseguir—. Esto debe estar registrado en algún lado. Averigua si Dust ya tiene una actividad asignada.

—Perfecto —contesta Andrew, tomando nota de mi pedido.

—Entrar va a ser muy fácil —concluye Alain, que no deja de rascarse la incipiente barba.

—El problema en las cárceles no es entrar —dice Kim, quien había permanecido en silencio—, el problema es salir.

Oficinas del FBI, Nueva York
Martes, 26 de julio, 4:30 p. m.

En cuanto tuvo tiempo, Freddie comenzó a revisar el caso de tráfico de armas. Como todo en ese expediente es irregular, cualquier parte que se investigue del mismo podría ser una pista.

En primer lugar, se fijó en quien estuvo a cargo de la investigación. El propio jefe de la oficina de Arizona fue quien manejó el caso y lo dio por cerrado. Freddie asumió entonces que la oficina del FBI de Arizona, o al menos su jefe, estaba al servicio del Anillo, por lo que no se podía contar con ellos.

Lo segundo que revisó fue el depósito en el que teóricamente estaban las armas. Al no poder tratar con el FBI local, porque se hallaba corrompido, decidió ir por la Policía. A pesar de que la denuncia anónima había sido hecha ante aquella fuerza, la Policía fue separada del caso de inmediato. Lo que le hizo pensar que, al menos los policías, estaban limpios. Además, cuando a alguien le quitan un caso, siempre queda resentimiento. Fue así que Freddie decidió aprovechar esto y localizó al detective que había tomado el caso en primer lugar. El hombre se mantuvo reticente al principio, ya que no le caían bien los agentes del FBI, pero en cuanto Freddie sugirió que hubo algo irregular en el tratamiento del caso por parte del FBI de Arizona, el detective comenzó a soltar la lengua y a quejarse de todo. Así se enteró de aún más irregularidades de las que figuraban en el expediente y le informaron que el depósito era compartido por tres empresas, una de ellas era SunLife, la compañía de energía solar de Dust. Esto hizo que Freddie se pusiera en alerta. No esperaba encontrar una relación tan directa con lo que estaban haciendo Ainara y el resto del equipo.

—Dust no blofeaba —se dijo a sí mismo al descubrir esto.

De alguna manera, el asesino de Stacy Thompson y ocho mujeres más estaba, en efecto, relacionado con el tráfico de armas. Que esto suceda en Arizona tiene bastante sentido, ya que su extensa frontera con México es una ruta de ingreso para todo tipo de mercancía ilegal. Freddie piensa que tranquilamente podrían haber entrado las armas por allí para luego seguir camino, ¿por qué no?, al mismísimo Los Ángeles. Pero esto es apenas una especulación, debe seguir investigando hasta encontrar pruebas firmes.

Sin embargo, hay algo que le llamó a Tanaka la atención. ¿Por qué tiene Dust un depósito de mercadería en

Arizona? SunLife no tiene ninguna filial en aquel estado, ni fábricas, ni oficinas de ningún tipo. ¿Qué hay en ese depósito? Alain y Kim ya están complicados apoyándola a Ainara. Junior, por su parte, no solo es buscado por el FBI, sino que aparte tiene planeado investigar los negocios y a la familia de Dust aquí en Nueva York. No queda nadie más en el equipo que pueda ir a Arizona a ver de qué se trata. Freddie sabe que su jefe aún continúa en Los Ángeles, por lo que tiene cierta libertad de acción. Tal vez pueda hacer un viaje rápido, ir y volver en el día. Alguien lo tiene que hacer.

20

ESPERA MI LLAMADO

Afueras de Phoenix, Arizona
Miércoles, 27 de julio, 2:40 p. m.

Anoche Freddie se comunicó con Ainara para contarle sus intenciones. Ainara le escribió desde su número nuevo para avisarle de que Alain lo había resuelto y que ya podrían hablar sin problemas.

—Tengo una pista que seguir, Ainara —le dijo Freddie—. Hay una denuncia sobre un cargamento ilegal de armas en Arizona.

—¿Crees que vale la pena? —preguntó Ainara, dudando de que esto los pudiera conducir a algún lado.

—El tema es que, teóricamente —explicó Freddie, saboreando las palabras que estaba por decir, sabía que a su amiga le gustarían—, este cargamento estaba en un depósito de Dust.

—¿De Dust? —repitió Ainara—. ¿Qué hace Dust en Arizona?

—Eso es lo que pretendo averiguar —contestó Freddie—. Puede que allí encontremos una llave para abrir la caja de Pandora.

—Hazlo —sentenció Ainara, que por primera vez sintió que había algo concreto que investigar. Estuvo de acuerdo con la iniciativa de Freddie. Creía necesario seguir otra línea de investigación para corroborar lo que Dust les pudiera decir. Ella seguiría junto con Kim y Alain planeando la fuga de la cárcel, pero era imposible saber si tendrían éxito o no, por lo que las intenciones de Tanaka fueron muy bien recibidas.

Luego de la charla con Ainara, Freddie compró en línea el pasaje de avión para la mañana siguiente. Así que en, cuanto llegó al aeropuerto, mandó un mensaje a la oficina diciendo que se encontraba enfermo y que no iría a trabajar. Le dijeron que le enviarían un médico, a lo cual él respondió que no había problema, sabía que el médico nunca hacia la visita en el mismo día. Así que esto reforzaría su coartada.

En el vuelo de cinco horas, Freddie tuvo tiempo para dormir y pensar, sin estar muy seguro de cuándo empezaba una cosa y cuándo terminaba la otra. Es que su vida se había vuelto complicada en los últimos años. Desde el día en el que decidió ayudar a Ainara en lugar de hacerles caso a sus jefes, comenzó una doble vida. Por un lado, trabaja para el FBI, cumpliendo un horario, cobrando un sueldo y realizando el trabajo que le gusta y para el que se preparó desde que miraba series de televisión cuando era pequeño. Él soñaba con ser un agente del FBI y lo consiguió.

Por otro lado, es parte del equipo de investigación de Ainara, con quienes trabaja sin horarios, con escasos ingresos, de incógnito y muchas veces en contra de los intereses del propio FBI.

Muchas veces se planteó si su accionar era correcto, si tanto engaño y riesgos eran en verdad necesarios. La respuesta a este cuestionamiento resultaba ser siempre la misma: justicia. Lo que le gustaba en su fantasía, cuando veía a esos agentes de trajes oscuros y lentes negros en la TV, era su capacidad de ejercer justicia. Atrapaban a criminales, desbarataban conspiraciones y tenían la autoridad para hacerse cargo y resolver las cosas. Cuando al fin creció y se convirtió en agente, se dio cuenta de que la cosa no era tan así, de que la oficina muchas veces respondía a intereses reñidos con el concepto de justicia y que, en ocasiones, estaban tan atados de manos como cualquier otra fuerza. Debido a esto, para llegar a esa justicia que aspiraba, debía tomar un camino alternativo. Ainara le facilitó ese camino. Porque más allá de lo problemático que le resulta esta doble vida, sabe que todo lo que hace para Ainara está siempre alineado con la justicia. Eso le da la fuerza para seguir adelante y, como ahora, viajar miles de kilómetros tras una pista que puede conducir a ningún lado.

Llegó a Phoenix y rentó un coche en el aeropuerto. Condujo treinta minutos siguiendo el GPS hasta un barrio industrial en las afueras de Phoenix.

El sitio se llama «Alldepot», tiene una gran explanada para entrada de camiones y tres pabellones. A Freddie le resulta extraño que, siendo un día y horario laborable, no haya ningún movimiento. No hay nadie trabajando. Especula que tal vez es un depósito en el que dejan mercadería por mucho tiempo y por eso no hay tanta actividad. Hay solo un guardia en la casilla de seguridad a la entrada del predio y nada más. El resto del perímetro está controlado por cámaras. No puede presentarse como agente para acceder al lugar porque no debe revelar su identidad. Así que Freddie decide esperar a que anochezca para poder entrar sin ser visto. Se tomará el resto de la tarde para estudiar el sitio y decidir la mejor forma de ingresar.

Nueva York

Miércoles, 27 de julio, 4:30 p. m.

Antes de pasar a la clandestinidad, Junior había continuado con sus cosas como si nada. Bajó del avión en el aeropuerto John F. Kennedy el viernes por la noche. Pasó el fin de semana investigando a Dust. Descubrió que el hombre no tenía redes sociales y que no se sabía nada de su vida. Sin embargo, logró confirmar lo que ya conocían, que su carrera comenzó hace apenas seis años y que los crímenes empezaron a los pocos días de que se convirtiera en dueño de SunLife. Seis meses antes había llegado al directorio de la empresa tras la misteriosa muerte de uno de los miembros que se oponía a su ingreso. Esto reafirmaba lo que Ainara había escuchado decir a la madre de Dust, sobre la manera irregular en la que su hijo logró escalar en su carrera. Junior encontró también que, luego de convertirse en miembro del directorio, Dust adquirió el cincuenta y uno por ciento de las acciones con un capital que nadie sabe de dónde salió. De esta manera, se convirtió en el dueño de la empresa, al menos de forma nominal, ya que Junior supone que es solo el testaferro de alguien más poderoso. Dust no tenía el dinero necesario para hacer esa movida, por lo que había gente detrás de él manejando los hilos.

Junior creía que por ese lado venía la conexión de Dust con el Anillo y esperaba que Ainara lo sacara de manos de la policía para tener esa información. Cuando el lunes se enteró de que el secuestro fue frustrado y debió huir porque descubrieron su falsa identidad como abogado, la cosa se complicó.

A partir de entonces, Junior buscó la forma de conseguir más información y se enfocó en la mujer de Dust. Con la nueva identidad que le procuró Andrew, podría presentarse ante la esposa como abogado de su marido. Era una jugada peligrosa, pero si lo hacían rápido, lograrían adelantarse a la Policía y averiguar cuánto sabía la mujer. Teniendo en cuenta que los planes de Ainara de sacar a Dust de la cárcel pondrían a la esposa en el ojo de la tormenta, era necesario apresurarse antes de que todo explotara.

Es por esto que Junior decide hacer esta incursión al día siguiente. Se presentará por la mañana y Andrew se encargaría de prepararle el camino. Hackeó la red interna del bufete de abogados y le envió un *e-mail* desde la cuenta oficial de la empresa a la mujer de Dust. Luego la llamó por teléfono, presentándose como secretario de uno de los socios del bufete. Arregló la entrevista para el jueves por la mañana y le avisó de que le llegaría una confirmación de la reunión por *e-mail*. Ella respondió el correo con su confirmación: ya todo estaba arreglado.

En ese tema estaba enfocado Junior cuando le viene una idea a la mente. Piensa que su amiga, la diputada Eva Longobardi, puede saber algo sobre Dust. Habló con ella hace unos días para recibir su apoyo. Fue la coartada para atrapar al asesino de su amiga Stacy Thompson. Solo que cuando acordaron la farsa de que ella había contratado a Kim para resolver el caso, Junior nunca le dijo que el asesino era Evan Dust. Es por eso por lo que no sabía si la diputada podía tener alguna información al respecto o no. Debido a esto, decide llamarla.

—Hola, Eva. Soy Junior.

—Hola, Junior —responde la diputada—. Hace unas horas que estoy tratando de comunicarme contigo, pero tu teléfono no responde.

—¡Oh! Lo siento —contesta Junior, sorprendido—. Cambié mi número recientemente. No imaginé que me llamarías. ¿Sucede algo?

—Debemos vernos —contesta la diputada—. Estoy en Washington ahora, mañana estaré en Nueva York y coordinaremos.

—¿Por qué?, ¿qué pasó? —pregunta Junior, intrigado.

—No puedo hablar por aquí —explica la diputada —. Te vuelvo a agendar, espera mi llamado.

—Está bien —responde Junior—, pero yo también necesitaba que hablemos. Quería preguntarte si sabías algo de Evan Dust.

—Espera mi llamado —volvió a decir la diputada Eva Longobardi antes de cortarle. No podía decir más.

21

AVISEN A LA SEGURIDAD

Afueras de Phoenix, Arizona
Miércoles, 27 de julio, 8:00 p. m.

A las siete se realizó el cambio de guardia. Fue el único momento en el que hubo dos guardias juntos. El resto del tiempo hay un solo hombre de seguridad en la entrada. Realiza una ronda de vigilancia a cada hora. Su único apoyo es un teléfono. Freddie supone que ese móvil está constantemente conectado con una central de seguridad en algún otro lado, donde se monitorea la totalidad del sitio con las múltiples cámaras que se observan a simple vista.

Por una de las calles laterales que rodean las instalaciones hay un punto donde los árboles cubren la visión de las cámaras. Ese rincón es el que Freddie observa desde el coche a cincuenta metros. Espera a que pase el guardia en su ronda de las ocho y lo mira pasar con su linterna apuntando en todas direcciones. Apenas se aleja, se coloca un barbijo para cubrirse el rostro y se acerca a la reja detrás de los árboles. A partir de ese momento, tiene una hora para entrar y salir antes de que el guardia vuelva a pasar. Extrae de su ropa un gran alicate. Lo había comprado en una tienda cercana hacía varias horas cuando planeó la forma de ingresar. Corta el alambrado lo suficiente como para introducirse. Lo hace con cuidado para no rasgarse la chaqueta. Ya está oscuro. Debe andar al descubierto los diez metros que lo separan del primer pabellón. Espera que no sea notada su presencia, pero no tiene ninguna garantía de que así será. Solo confía en que la monotonía de vigilar todos los días un lugar donde nunca pasa nada sea suficiente para que el guardia esté distraído y no lo vea. No lo retarda más y camina rápido hasta la construcción. Se apoya contra la pared y mira hacia ambos lados. Comienza a caminar pegado al muro. Llega hasta la parte trasera, donde encuentra una pequeña puerta cerrada con candado. De nuevo utiliza el alicate y lo rompe. Ingresa al lugar, iluminado apenas por la luz del exterior que ingresa por unas ventanas a gran altura. La sorpresa de Freddie es grande al notar que el lugar está vacío. No necesita ni siquiera usar la linterna de su móvil, es un espacio abierto en el que es obvio que no hay nada. Tanaka encuentra una oficina pequeña a un costado, se dirige a ella y, cuando está dentro, revisa rápidamente archivos. Todo parece correcto, excepto que la mercancía solo está unas horas y se la llevan del pabellón uno, Tanaka está casi seguro que ese es el almacén donde almacenan las armas. No espera que en los otros pabellones halla armas, pero sí va a por más pistas. Antes de irse revisa unas cajas instaladas en detrás de esa pequeña oficina como en una oficina más pequeña, al revisar las cajas todas tenían armas, seguro era para el uso del personal del Anillo, las demás se venderían.

Sale por la misma puerta por la que entró y camina otra vez contra la pared hasta llegar al espacio que separa a este del otro edificio. Sabe que es el momento más peligroso: no hay nada que lo mantenga oculto y debe hacer otros diez metros a la intemperie. No espera más y se lanza hasta el siguiente edificio, que es idéntico al anterior. De nuevo corta el candado y entra. Ahora sí, el lugar está lleno de cajas perfectamente apiladas. Se acerca a ellas, enciende la linterna y ve el logo de SunLife, la empresa que dirige Dust.

—¡Bingo!

Otra vez utiliza el alicate para romper las bisagras de la caja de madera. Lo consigue y retira la tapa. Alumbra dentro de la caja y ve estructuras metálicas. No sabe de qué se trata, así que busca fuera de la caja y encuentra el rótulo: «Soporte metálico A22». Ese nombre no le dice nada. Se aparta y observa alrededor. La mitad del lugar está cubierto de contenedores iguales al que acaba de abrir. La otra mitad tiene otros dos tipos de empaques. Va hasta el primero y lo abre. Aquí hay un enorme rollo de cable. Luego va hasta el tercer tipo de empaque. También lo fuerza y encuentra materiales eléctricos, enchufes, llaves térmicas y algo que parecen ser transformadores.

Los tres tipos de contenedores tienen el logo de

SunLife, la empresa de Dust. Freddie mira el resto del lugar y no ve nada extraño. No termina de comprender qué es todo esto. Piensa que tal vez, por alguna cuestión impositiva, Dust guarda en Arizona el material que distribuirá luego por todo el país. Incluso puede importarlo desde México o pretende exportarlo a ese país desde aquí. No se le ocurre otro motivo por el cual almacenar tanta mercancía en un lugar tan remoto. Piensa que ya vio todo lo que tenía para ver y decide que es hora de irse. Sin embargo, al salir, piensa que tal vez deba revisar el tercer pabellón, por lo que repite los mismos pasos de antes. Corre el riesgo por última vez y atraviesa el espacio abierto. Una vez que termine de revisar el último pabellón, ya no le importará si las cámaras lo ven o no, solo correrá a la salida y no habrá tiempo para que lo atrapen.

Cuando entra, ve una escena similar a la del otro edificio, está lleno de cajas de madera. Estas son todas iguales, cientos de ellas. Se acerca para ver el logo, supone que es de alguna de las otras dos empresas que figuraban como contratantes del espacio. Para su sorpresa, vuelve a ver el logo de SunLife. Rápidamente, abre la primera caja de la hilera y encuentra lo que había esperado ver desde el principio, paneles solares. El rótulo de la caja así lo indica. Revisa algunas cajas más por fuera y todas dicen lo mismo, paneles solares. Está claro que no hay nada de las otras dos empresas que rentan el espacio, todo le pertenece a Dust. Freddie piensa que tendrá que recurrir a Andrew para rastrear el origen y el destino de esta mercancía.

Un ruido lo sobresalta.

—¿Quién anda ahí?

Phoenix, Arizona

Miércoles, 27 de julio, 8:10 p. m.

Los monitores muestran imágenes de distintos lugares. Algunos tienen la pantalla dividida con tomas de múltiples cámaras. En todas se ven oficinas, *parkings* y distintos edificios. Es una oficina pequeña. Hay cinco personas observando las pantallas. Usan el uniforme de una empresa de seguridad.

—¿Viste el partido de anoche? —pregunta un hombre calvo sin dejar de mirar las pantallas.

—No pude —contesta otro que vuelve con dos cafés y le alcanza uno a su compañero—. Llegué muy cansado a casa y me acosté a dormir, ni siquiera comí.

—No te perdiste de nada —dice el primero—. Jugaron los dos muy…

—Espera —interrumpe quien había traído el café, acomodándose los lentes. Estaba a punto de volverse a sentar cuando algo le llamó la atención en el monitor de su compañero.

—¿Qué pasa? —pregunta el hombre calvo, levantando la vista del café al que le estaba poniendo azúcar.

—¿Viste eso? —pregunta el de lentes, acercándose a la pantalla y señalando una de las cámaras.

—A ver —responde el calvo y amplía la imagen a pantalla completa—... No veo nada.

—Me pareció ver un movimiento —insiste el de lentes, convencido de lo que vio—. Algo que se movía del pabellón uno justo allí.

—Son las instalaciones de Alldepot —dice el hombre calvo, explicándole a su compañero—. Es el corredor entre los pabellones uno y dos.

Los dos miran unos segundos el monitor para ver si aparece algo.

—Revisaré otra cámara —continúa el hombre calvo. Minimiza la imagen y amplía la de la otra cámara, consiguiendo un plano general de la parte trasera. En esa imagen, a los pabellones se los enfoca desde más lejos y está muy oscuro—. No hay nada.

—Te juro que vi algo —insiste el compañero, que no se resigna a dejarlo pasar.

—Revisemos la grabación entonces.

El hombre vuelve a la cámara anterior, activa un símbolo bajo la imagen y se abre un recuadro superpuesto con la grabación de las últimas dos horas. Arrastra el cursor en la línea de tiempo para ver los últimos cinco minutos. Ambos miran atentos. Los otros tres hombres que vigilan distintas pantallas miran de reojo. Uno de ellos no aguanta más la curiosidad, se pone de pie y se acerca para ver mejor.

—¡Ahí! —grita el hombre de lentes, satisfecho, como si hubiera ganado un premio.

—Sí, lo vi —confirma el hombre calvo, quien de inmediato levanta el teléfono. Marca un número de tres dígitos y espera. Alguien le responde y él explica—.

Detecté un intruso en las instalaciones de Alldepot. En este momento no se le ve, pero creo que puede estar dentro del pabellón dos… —Escucha algo que le dicen —. Sí —contesta, afirmando a la vez con la cabeza—. Avisen a la seguridad y manden una unidad móvil.

22

MAÑANA IREMOS POR DUST

Afueras de Phoenix, Arizona
Miércoles, 27 de julio, 8:20 p. m.

—¡Demonios! —exclama Freddie en voz baja y apoya la espalda contra la caja que acaba de abrir. Lo han descubierto. Respira profundo para recuperar el aire.

—Salga con las manos en alto —ordena la voz al otro lado del pabellón.

De alguna manera lo han visto, y deben saber que es una sola persona. En un instante Freddie echa un vistazo a su alrededor para evaluar sus posibilidades. Luego se asoma y ve, a contraluz, la silueta de dos hombres parados en la puerta principal del edificio. Uno de ellos con una linterna y el otro con un arma larga, apuntando hacia arriba. Vuelve a esconderse. Mira la puerta trasera por la que ingresó. No puede demorarse, debe salir ya.

No piensa más y corre hacia la puerta que está a pocos metros.

—¡Deténgase! —le gritan a la vez que con un ruido metálico comienzan a encenderse las luces del depósito una tras otra, quedando al descubierto. Freddie llega a la puerta y la abre sin mirar atrás. Es entonces que se encuentra con dos hombres armados que están tan sorprendidos como él. Sin embargo, reacciona más rápido que ellos. Al que tiene más cerca lo noquea de un puñetazo en el rostro y al otro le da una patada en la mano en la que llevaba el arma. Esta vuela por los aires y el hombre se le abalanza encima. Tanaka aprovecha la fuerza de su adversario y, tomándolo del cuello, gira y lo arroja contra la pared. El sujeto rebota como si fuera de goma y se tambalea. Freddie lo vuelve a empujar, esta vez contra la puerta. Con la cabeza, el guardia rompe el vidrio superior, que estalla hacia adentro. El hombre cae al suelo, bloqueando la salida. Ve en ese momento a través del vidrio roto que los hombres dentro del pabellón corren hacia allí, por lo que él también sale corriendo hacia la reja por la que entró a las instalaciones. Espera que no haya nadie esperándolo. Cruza el segundo pabellón y escucha un escopetazo.

—¡Mierda! —exclama Freddie, que se echa contra la pared, pero no se detiene. Pasa por detrás del primer pabellón y continúa hacia la reja. No hay nadie delante, todos vienen detrás de él.

Otro disparo da contra la reja cerca de él mientras la está atravesando. La chaqueta se le engancha y él tira con fuerza. Termina rasgándola. Recién allí mira hacia atrás y ve a los tres hombres acercándose a toda velocidad. Retoma la corrida y llega a su coche cuando los hombres de seguridad cruzan el enrejado perimetral. Da marcha atrás para alejarse cuanto antes.

Un golpe violento hace que el coche gire como un trompo y Freddie pierda el control. El vehículo se detiene y por un instante se siente aturdido. El sacudón y un golpe en la cabeza lo atontaron. No comprende qué sucede. Recién entonces ve que un coche lo ha embestido. Es un vehículo de la empresa de seguridad. Ve bajar a un hombre armado. Mira hacia el otro lado y observa que viene el resto de los guardias. Trata de arrancar el coche, pero no responde. Los hombres se acercan. Lo intenta de nuevo y esta vez sí lo logra. Se enciende el motor y el vehículo sale a toda velocidad. Sin embargo, dos de los hombres abordan el otro coche y comienzan a seguirlo. Un tiro da contra el vidrio trasero del que conduce y Freddie se agacha, pero continúa. Debe evadirlos. No quiere dispararles porque no son delincuentes, son guardias haciendo su trabajo. Pero tiene que huir porque no puede ser atrapado.

Cuando llega a la esquina, gira y se mete en sentido contrario. Esquiva un par de coches, tiene la ventaja de que la ruta no es muy transitada, sin embargo, no dejan de perseguirlo. Hace un par de cuadras y se introduce a una avenida también a contramano. Aquí hay muchos más vehículos y Freddie debe conducir en zigzag, esquivando a los que vienen de frente. Ve por el retrovisor que empieza a dejar atrás a sus perseguidores, y cuando los pierde de vista, sale de la avenida por una bocacalle. Esta vez, en el sentido correcto, puede acelerar. Vuelve a girar y ya no hay señales de quienes lo seguían.

No tiene tiempo para cambiar de vehículo. Debe llegar al aeropuerto, abandonar el coche que alquiló con una identidad falsa y tomar el primer avión que lo saque del estado. Luego podrá volver a Nueva York.

Santa Mónica, California
Miércoles, 27 de julio, 9:20 p. m.

—Ya está decidido —le digo a Kim, que levanta la vista de su móvil. Estaba viendo el mapa de la zona que rodea a la prisión—. Mañana iremos por Dust.

Kim asiente con la cabeza. Andrew ha averiguado que los jueves es el día en el que reponen insumos para la cocina. Debemos interceptar al vehículo antes de que llegue a la cárcel. Luego hay que llevar a los empleados de la empresa de alimentos a un sitio seguro y los dejamos ahí, Alain está buscando ese lugar en este momento. Después iremos a la prisión. Alain y yo ingresaremos mientras Kim espera con un coche de refuerzo afuera. Entraremos por la cocina, Andrew también consiguió un plano de las instalaciones, buscaremos a Dust y lo sacaremos por la cocina también. Los guardias dentro del presidio no son más que delincuentes, no será difícil sobornarlos para que hagan la vista gorda.

Recibo una llamada telefónica de Alain.

—Hola, Ainara —me dice agitado—. Encontré un buen lugar.

—Cuéntame —le pido—. ¿Estás bien?

—Sí, si —responde mientras se normaliza su respiración—. Es solo que debí saltar un enrejado para revisarlo. No quise forzar la puerta externa para no levantar sospechas. Es un depósito en alquiler —continúa explicando—. Pero por lo visto, hace tiempo que no viene nadie, no tiene seguridad ni cámaras. Luego forcé el candado de la puerta del edificio y entré, es perfecto. Ahora estoy yendo a conseguir un candado para cerrarlo y preparar el lugar para mañana, así que esto está listo.

—Gracias, Alain —me despido y cuelgo. Estoy contenta de haber incorporado a Alain al equipo, ha resultado ser de suma utilidad. Es la persona más versátil que tengo y puede hacer los trabajos que nadie más es capaz de hacer. Cada tanto me descoloca con sus locuras, pero eso es lo que lo hace especial, nunca se sabe con qué puede salir. Justamente, es lo que muchas veces necesitamos.

23

TEN CUIDADO CON SMITH

Algún lugar de Los Ángeles
Jueves, 28 de julio, 2:20 p. m.

Vemos salir el camión de la sede de la empresa de alimentos.

—Ahí está, Kim —digo por el móvil.

—Ya lo vi —contesta Kim por el altavoz.

Comenzamos a seguirlos. No teníamos clara la ruta que seguirían, así que no había forma de preparar ningún tipo de emboscada. Lo único que podemos hacer es esperar una oportunidad, así que debemos estar atentos.

Vamos con Alain, siguiéndoles de cerca, mientras que Kim viene en otro vehículo detrás de nosotros.

—Debemos interceptarlos en cuanto salgan de esta avenida —dice Alain mientras conduce. No le quitamos la vista de encima al camión. Sabemos que hay que hacerlo antes de que suban a la autopista. En alguna de las próximas calles girarán a la derecha y tomarán una bocacalle. Hay entre diez y quince cuadras que nos separan de esta vía. Es necesario atacar allí.

—Ahí va —indica Alain cuando el camión pone la luz direccional. Se aferra fuerte al volante y, mientras doblan en la esquina, yo saco mi arma. Nosotros también giramos. Veo por el espejo retrovisor que Kim nos sigue de cerca. La calle es angosta. Apenas pasan dos vehículos a la vez. Veo a un camión salir de un garaje más adelante, lo hace despacio porque tiene poco radio de giro.

—Es ahora —le digo a Alain—. Ponte a la par y, en cuanto puedas, los cruzas para que no arranquen.

El camión se detiene para dejar salir al otro, que sigue maniobrando. Yo bajo del vehículo cuando Alain disminuye la velocidad lo suficiente y luego continúa hasta ponerse a la par. Debe subir las dos ruedas izquierdas a la acera para hacerlo.

Cuando el otro camión por fin termina de salir, Alain se apresura a ponerse delante de nuestro objetivo. El conductor, que estaba arrancando, frena de golpe. Baja la ventanilla e insulta a Alain.

—¿Qué haces, imbécil? —grita el hombre, haciendo ademanes con el brazo izquierdo y asomando la cabeza fuera del vehículo. Aprovecho la distracción del chofer para acercarme con rapidez.

—Quieto ahí —le digo, apoyándole el cañón de mi Smith & Wesson en el cuello. El hombre levanta las manos y se echa hacia atrás instintivamente. Alain baja del coche y se acerca por el otro lado. Abre la puerta del camión, también con una pistola en la mano. El acompañante lo mira a Alain asustado. Él lo toma de la camisa y lo tironea hacia afuera.

—Tú también —le ordeno al conductor, quien hace lo mismo. Alain los revisa, les quita los móviles y les ata las manos con un precinto por la espalda. Luego los mira, les saca las gorras con el logo de la compañía y se coloca una de ellas. La otra me la da a mí.

—Mételos atrás —le digo mientras me pongo la gorra y lo sigo. Kim está con su coche, bloqueando el paso. Hay un par de vehículos detrás de ella que comienzan a tocar bocina.

Una vez que Alain los encierra, vuelvo al coche y arranco, desbloqueando el camino. Alain se sube al camión y conduce detrás de mí. Kim nos sigue y la calle vuelve a su ritmo habitual.

En cuanto tenemos espacio, dejo pasar a Alain, es él quien conoce el camino. Manejamos hasta el escondite. Alain baja del camión y quita el candado que había cambiado el día anterior. Luego entra con el camión al *parking* del lugar. Yo dejo el coche afuera y me acerco a Kim.

—A ti no te han visto —le digo después de que baja la ventanilla—. Mantengámoslo así.

Ella asiente con la cabeza y vuelve a subir la ventanilla. Luego entro, abro la puerta trasera del camión con mi arma desenfundada y veo a los dos hombres. Uno es de estatura mediana y el otro es más delgado y pequeño.

—¿Cuánto de esto va a la prisión? —les pregunto señalando la mercadería. Hay bastantes cajas y bolsas de distintos tamaños.

—Todo —me responden los dos al mismo tiempo.

—Vamos, bajen —les digo luego de obtener la información que necesitaba. Alain, que ya se encuentra a mi lado, los ayuda a bajar. No hay duda de que están asustados, son trabajadores comunes que se hallaron en el momento y lugar equivocados.

—¿Qué pasa? —pregunta el que conducía—. ¿Qué nos van a hacer?

—No les haremos nada —le responde Alain a la vez que los hace entrar al depósito que tenía la puerta sin seguro. Alain se encargó por la noche de que estuviera así —. Solo necesitamos el camión y su ropa. No tenemos nada en contra de ustedes.

—Estarán aquí un par de horas —les digo, señalando las sillas que se encuentran junto a una columna. Veo que Alain no dejó nada al azar. En el suelo, debajo de las sillas, hay un par de cadenas y candados—. Cuando hayamos terminado, les avisaremos a su empresa dónde encontrarlos.

—¿Cómo sabemos que harán lo que dicen? —protesta el hombre más bajo y delgado, dudando de lo que les decíamos.

—No lo saben —le respondo con seriedad—. Pero tampoco hay nada que puedan hacer al respecto. Quítense la ropa.

Los dos hombres no saben si hacer caso o no, así que blandeo mi arma. Enseguida, después de que Alain les corta el precinto, se quedan en ropa interior. Alain les vuelve a poner un precinto y los obliga a sentarse en las sillas. Los encadena a una viga de hierro, mientras, yo me cambio la vestimenta. Cuando termina de asegurar a los hombres, se cambia él también y salimos a la calle. Nos acercamos a Kim.

—Todo va según lo planeado —les digo mientras miro alrededor que no haya ningún curioso—. Ahora viene la parte difícil…

Suena mi móvil. Me pregunto quién podrá ser ahora. Lo saco de mi bolsillo. Es Freddie.

—No de nuevo.

Oficinas del FBI, Nueva York
Jueves, 28 de julio, 2:45 p. m.

Anoche Tanaka dejó el coche, chocado y con disparos, fuera del aeropuerto. Como al rentarlo utilizó una identidad y tarjeta falsas, no tuvo que devolverlo ni dar explicaciones de su estado. Entró caminando al *hall* del aeropuerto y fue directo al mostrador ocho. Freddie vio que anunciaban por las pantallas que estaba a punto de salir un vuelo a Tennessee. Por eso no dudó hacia dónde ir y se dirigió al mostrador indicado para intentar comprar un pasaje de último momento.

La empleada de la aerolínea revisó su ordenador y vio que quedaban tres lugares disponibles.

—¿Tiene equipaje? —preguntó la mujer.

Freddie le dijo que no y la mujer llamó por su intercomunicador a alguien en la puerta de abordaje. Preguntó si todavía estaban a tiempo.

—¡Ven ya!

Fue la respuesta que Freddie pudo escuchar que le dieron.

La empleada se apuró entonces a venderle el pasaje y lo acompañó personalmente para que pudiera abordar el avión. De hecho, lo llevó por pasillos internos para llegar más rápido.

Llegó a Nashville en cuatro horas. Allí, ya sin la urgencia de salir del estado, debió esperar dos horas más hasta el siguiente vuelo a Nueva York. Mientras aguardaba el anuncio para abordar, pensó en que había usado su tarjeta de crédito para pagar los vuelos, lo cual dejaba un rastro fácil de seguir. Sin embargo, eso sería solo una complicación si alguien comenzara a investigarlo, mientras no sucediera eso, nadie sabría que estuvo en Arizona.

A las ocho de la mañana estaba saliendo del aeropuerto de Nueva York hacia la oficina.

Si bien había dormido algo en los aviones, se le veía cansado y desaliñado. Los compañeros le preguntaron por su salud. Su aspecto confirmaba la excusa que había dado el día anterior para faltar. Había dicho que estaba enfermo y, a simple vista, parecía que lo seguía estando.

Habló con Andrew y se puso al tanto de lo que estaba haciendo Ainara. Tanaka no estuvo de acuerdo con esta incursión a la cárcel, era demasiado peligroso. Pero no había nada que pudiera hacer para disuadirla, así que lo único que le quedaba era apoyarla.

—Vuelve a tu casa —le dice el agente Edwards, poniéndole una mano en el hombro—. Ya has demostrado tus ganas de trabajar, pero tu estado es deplorable y no quiero que me contagies.

—Estoy bien —le responde Freddie al agente que había dejado Smith a cargo—, no sé si deba irme.

—Vete tranquilo que el jefe no está —insiste su compañero, sonriendo. Sabía que Freddie acusó tener una gripe y no había ninguna urgencia que requiriera su presencia—. Yo te cubro.

—¿En qué anda Smith? —aprovecha Freddie para averiguar algo sobre las actividades del jefe. No sabe si permanece en Los Ángeles o qué está haciendo. Edwards seguro tiene algún dato al respecto.

—Sigue en Los Ángeles —le confirma el compañero, haciendo alarde de su acceso a la información—. Esta tarde irá a la penitenciaría a entrevistar a un asesino serial.

—¿En serio? —pregunta Freddie, queriendo saber más, tal vez haya algo que pueda complicar a sus compañeros—. ¿Por qué no se encarga de eso un agente local?

—Ya sabes cómo es el Sabueso —contesta el agente en un tono cómplice—. Ese delincuente está relacionado con esta exagente… ¿Cuál era su nombre? —pregunta Edwards tratando de hacer memoria—. Pons, ya recuerdo, Ainara Pons. Smith cree que ese asesino puede ayudar a encontrarla. Está obsesionado. ¿Tú la conociste?

—¿Perdón? —dice Tanaka por reflejo, se había quedado pensando en que debía avisarle a Ainara y no prestó atención a lo último que le dijo Edwards.

—A Ainara Pons —contesta el agente—. ¿La conociste?

—Sí —responde Freddie, queriendo terminar la conversación—. Al poco tiempo que entré a la fuerza, ella la dejó. Pero lo poco que compartí con ella, me dejó una buena impresión.

El compañero lo mira esperando que le cuente algo más, pero Tanaka no quiere tocar ese tema.

—Saldré a tomar aire —dice Freddie y termina la charla, levantándose de su silla—, veré si me despejo un poco o si me voy a casa.

Camina hacia el elevador y luego desciende a la planta baja. Sale a la calle y saca su teléfono. Llama al nuevo número de Ainara, el que le había pasado Andrew por mensaje.

—Hola, Ainara —dice Freddie—. Ten cuidado con Smith.

24

CAMBIO DE PLANES

Algún lugar de Los Ángeles
Jueves, 28 de julio, 2:50 p. m.

—Ten cuidado con Smith —me dice Tanaka por teléfono y miro a mis compañeros, que no saben lo que está sucediendo.

—¿De qué hablas, Freddie? —pregunto con frustración. Cada vez que estamos por acceder a Dust, me llama Freddie con malas noticias. ¿Qué estará sucediendo ahora?

—Smith irá esta tarde a ver a Dust —me responde Freddie, hablando rápido y nervioso—. No tengo los datos exactos, pero si ustedes se dirigen a la cárcel, puede ser que se lo crucen. Deben tener cuidado.

—¡Diablos! —exclamo apartando el rostro del teléfono y mirando otra vez a mis compañeros. Kim, que permanecía en su coche mirándome por la ventanilla, decide bajarse para situarse junto a mí mientras estoy al teléfono. Pienso un instante y vuelvo a hablarle a Freddie —. Averigua todo lo que puedas. ¿Dónde se encuentra Smith ahora? ¿A qué hora irá a la penitenciaría? Lo que sea.

—Sí, Ainara —contesta Freddie—. Haré todo lo que pueda.

—Freddie, te agradezco el esfuerzo que haces. Las noticias que me traes no son agradables, pero nos han salvado a los tres de pasarla muy mal. Gracias.

Luego de cortar la comunicación vuelvo a mirar a Kim y Alain. Ambos escucharon la conversación, así que entienden la situación en la que nos encontramos. Debemos decidir si seguimos adelante o no.

—¿Qué hacemos? —le pregunto a mis amigos—. Si Smith aparece en la cárcel cuando nos encontremos allí, estaremos en problemas.

—Hay que seguir —me sorprende Alain al hablar con mucha decisión—. No sabemos a ciencia cierta si lo cruzaremos o no. Si no perdemos tiempo, podemos entrar y salir antes de que llegue.

—También Andrew nos puede ayudar —interviene Kim, buscando argumentos a favor de avanzar con la misión—. Si averigua dónde se encuentra Smith ahora, podrá monitorear sus movimientos y mantenernos al tanto.

—¿Para qué le pediríamos eso a Andrew? —pregunta Alain, deteniéndose un minuto a pensar—. ¿De qué sirve saber dónde está si no podemos detenerlo?

—Lo detendremos —sentencio, poniendo fin al debate—. Cambio de planes.

Mis amigos me miran sin comprender, esperan mi explicación.

—Debemos dividirnos —explico a medida que se me va ocurriendo qué hacer—. Alain es el único que no se ha cruzado en persona con Smith, y aunque haya visto alguna foto suya, la barba que tiene ahora Alain cambia sus facciones por completo. —Alain vuelve a rascarse la barba en un gesto que ya es reiterativo—. Kim y yo iremos a la cárcel mientras que tú irás a interceptar a Smith para frenarlo de alguna manera.

—Okey —contesta Alain más por obedecer que por estar convencido—. Las seguiré a la cárcel hasta que Freddie o Andrew me digan dónde encontrar a Smith. Kim —dice ahora Alain mirándola a ella—, es hora de cambiarse de ropa.

Kim se acerca a Alain. Lo toma de la camisa y lo mira de arriba abajo. Se da cuenta de que ese uniforme le quedará grande.

—Cuando esto termine —dice Kim—, olvídense de que me vieron vestida con esto.

Casa de Andrew Collins, Nueva York

Jueves, 28 de julio, 3:10 p. m.

Andrew recibió el llamado de Alain y habló con Freddie para obtener toda la información posible. No hubo mucho que Tanaka le pudiera decir. En los registros no figuraba la ubicación de su alojamiento ni ningún otro dato útil. Sin embargo, esto le sirvió a Andrew para deducir que el FBI no se estaba haciendo cargo de los gastos del agente. De ser así, el mismo Smith estaría pagando la estadía con sus tarjetas de crédito. Esta era la especialidad de Andrew. Así que hizo lo que hace siempre, hackear la información de la tarjeta de crédito. Encontró que Smith pagó la cena de anoche en el restaurante de un hotel en la zona de West Los Ángeles, no muy lejos de la penitenciaría. Llama entonces al hotel.

—Buenas tardes —dice Andrew en un tono muy serio—. Necesito hablar con el agente Smith del FBI, no sé en qué habitación se encuentra.

—Espere un momento, por favor —responde la recepcionista y Andrew aguarda al teléfono—. Ya lo comunico.

Andrew vuelve a esperar, mientras suena la llamada, hasta que atienden.

—Hola.

Andrew corta la comunicación en cuanto escucha la voz de Smith y sonríe.

—Bingo.

De inmediato, le escribe a Alain. Le pasa los datos de en dónde se hospeda Smith, haciendo hincapié en que aún se encuentra allí. Luego vuelve a lo que estaba haciendo antes. Se concentra en la penitenciaría en la que va a incursionar Ainara, intenta acceder a la red interna del sitio para interceptar todas las comunicaciones que puedan dar noticias de Dust o del ataque de Ainara.

Logra ingresar y hace que todas las comunicaciones escritas por correos internos sean reenviadas hacia un correo que acaba de crear. También entra al sistema de asignación de puestos de trabajo. Encuentra que Dust fue asignado a la lavandería.

—Esto servirá —dice Andrew mientras le envía la información a Ainara.

25

TENDRÉ QUE SER RÁPIDA

Algún lugar de Los Ángeles, California
Jueves, 28 de julio, 3:15 p. m.

Estoy en el camión, sola. Conduje hasta la entrada a la autopista y me detuve. Kim vino con el otro coche también hasta ahí. No queríamos que su vehículo quedara en la puerta del edificio donde dejamos a los dos hombres encadenados. Yo me detuve antes de subir a la autopista porque ella iba a abandonar su coche allí y venir conmigo, pero a último momento propuso algo distinto.

—Creo que es mejor que vaya con mi coche hasta que estemos cerca de la penitenciaría —me dijo por el móvil mientras estábamos detenidas—. Creo que sería bueno tener este coche en las cercanías como alternativa de escape.

—Bien —le contesté, satisfecha por esta nueva idea —, estoy de acuerdo.

Luego volví a arrancar y subimos en fila los tres vehículos a la autopista. A los pocos minutos, escucho la voz de Alain.

—Las dejo —nos avisa—. Ya sé dónde se encuentra Smith y voy a intentar detenerlo —continúa diciendo Alain por el altavoz del teléfono.

—¿Sabes lo que vas a hacer? —pregunta Kim.

—No tengo ni idea —responde Alain y se puede oír una carcajada—. Cuídense.

Veo por el retrovisor cómo el vehículo de Alain aminora la velocidad y se desvía a la derecha para bajar de la vía. Nosotras seguimos durante diez minutos más.

—La próxima es nuestra bajada —le aviso a Kim.

Salimos de la autopista y pronto llegamos cerca de nuestro destino. Detenemos la marcha. Kim se baja del coche y camina hasta el camión. Se sube y me mira sonriente, como si se tratara de un juego. La miro vestida con la ropa de la empresa de alimentos. Le queda grande por todos lados. Me doy cuenta entonces de su fragilidad. Tal vez sea un error meterla en esto. Hace unos días, la sacó barata en su enfrentamiento con Dust. Si no se hubiera liberado de las manos de aquel cerdo y llegado hasta la cubierta del yate, yo no hubiera podido hacer nada. Hoy la meteré en un lugar lleno de hombres peligrosos, creo que no aprendo nunca. No es la primera vez que tengo este tipo de pensamientos. Sé que siempre la pongo en peligro. Pero en realidad, ella es adulta y puede decidir lo que quiere y lo que no quiere hacer. Nadie la obliga a nada. De hecho, cada vez que la intenté disuadir, no conseguí hacerlo. Pero debo intentarlo una vez más.

—¿Estás segura de lo que vamos a hacer? —le pregunto antes de volver a arrancar—. Tal vez deba de dejarte aquí. Tú vendrías en tu coche y me esperarías afuera. Yo puedo hacerlo sola.

Kim sonríe y menea la cabeza...

—Siempre tenemos la misma conversación —me dice muy tranquila— y siempre te doy la misma respuesta. Así que no me obligues a repetírtelo y continúa manejando.

Arranco y no tardamos en llegar. Nos detenemos frente a la casilla de seguridad junto al portón de ingreso.

—Buenos días —me dice el guardia, quien sale de su cubículo con una planilla—. ¿Qué pasó con Howard y Tim?

—Se contagiaron de algo y están los dos en cama —respondo alzándome de hombros. El hombre mueve la cabeza.

—Denme sus documentos y acreditación de la empresa, por favor —me dice y le entrego la identificación falsa que me fabricó Andrew antes de venir a Los Ángeles, es la misma que utilicé al vigilar a Stacy Thompson. Kim, por su parte, también tenía un documento falso que Andrew le hizo por las dudas, es la primera vez que lo necesita. En cuanto a las acreditaciones, no se precisa algo de demasiada calidad, así que Andrew nos mandó los archivos digitales y los hicimos imprimir y plastificar cerca del motel—. Bien, señorita Boockman. Abra atrás.

Kim baja y camina hasta la parte trasera. Abre la

puerta. El guardia se sube al camión y mira entre los bultos. Luego baja y vuelve a acercarse a mi ventanilla mientras Kim cierra la puerta de atrás.

—Todo en orden. Siga este camino hacia la derecha. Rodee el edificio y encontrará la parte trasera de la cocina.

—Gracias —respondo tocándome la gorra mientras Kim vuelve a entrar al vehículo. Arranco y avanzo. Llevo el cabello recogido para resultar menos llamativa, pero somos dos mujeres dentro de una cárcel de hombres. No hay forma de pasar desapercibidas.

—Ya estamos adentro —dice Kim viendo como nos acercamos a donde nos indicaron.

—Casi —le contesto mientras estudio el lugar.

Miro para arriba y, tanto sobre el edificio como en las esquinas del alambrado perimetral, hay torres con guardias armados. Hay una casilla con dos guardias en la entrada para visitas y, de seguro, habrá guardias del lado de adentro de la entrada para reclusos, pero desde aquí no se ven. Además, hay cámaras de seguridad por todos lados. Nuestra única oportunidad es entrar y salir por la cocina y meter a Dust dentro del camión para volver a atravesar este patio al aire libre. No creo que vuelvan a revisar el camión al salir.

Llegamos a donde nos indicó el hombre del ingreso. Es un portón metálico, levantado para que entre el camión. Maniobro para darle vuelta y meterlo en retroceso. Estaciono. Estoy por bajar cuando entra un mensaje a mi móvil. Es Andrew.

—Logré entrar a la asignación de trabajos de la

cárcel —escribió—. El objetivo debería estar en la lavandería ahora.

En ese momento, otro oficial de seguridad se acerca al camión.

—¿Y Howard? —pregunta. Parece ser que Howard es muy popular. Dejo mi móvil.

—Los dos están enfermos —contesto sin dar más explicaciones y bajamos del camión. Kim se acomoda la camisa dentro del pantalón y se la remanga un poco más. Recién entonces baja.

—Ya saben cómo son las reglas, supongo —dice el guardia y yo me le quedo mirando porque no sé de lo que habla—. Descargan todo y lo pasan por esa máquina de rayos equis. Nadie sale de ahí dentro a ayudarlas y nadie entra. Mi compañero allí revisa el contenido de los paquetes en la pantalla —explica señalando la oficina que hay a un costado—, así que los bultos pasarán despacio, les llevará un rato. Ahora llamaré por teléfono al encargado de cocina para que reciba los productos del otro lado. Esperen a que les avise para empezar a pasarlos.

Miro al guardia que está frente al monitor dentro de una oficina con la puerta abierta. Observo alrededor y hay una sola cámara, enfocando al sector de la máquina de rayos, nada más. No es necesaria otra cámara porque no hay más entradas. Salvo por la máquina, el edificio está sellado. Son apenas dos guardias, no es tan complicado. Tendré que ser rápida.

26

LA VIDA DE DUST PENDE DE UN HILO

Casa de Evan Dust, Nueva York
Jueves, 28 de julio, 3:40 p. m.

Junior llega a la mansión. La entrevista estaba programada para la mañana, pero la señora Dust escribió un *e-mail* por la noche, pidiendo cambiar la hora. Como el correo había sido interceptado por Andrew, fue él quien le respondió, diciendo que no había problema. La reunión entonces sería a las cuatro de la tarde. Sin embargo, como Junior sabía que Ainara estaba intentando rescatar a Dust, decidió adelantar el encuentro para hablar con la mujer antes de que supiera lo que estaba sucediendo con su marido. No quería que en medio de la charla le llegara la noticia de que su esposo había escapado, esto echaría por tierra cualquier posibilidad de obtener información de su parte.

Es entonces que, a pesar de llegar veinte minutos

antes de lo planeado, es recibido sin inconvenientes. Una sirvienta le abre la puerta y lo hace pasar a la sala. De inmediato, llega la señora Dust. Es una mujer de escasos treinta años, rubia, muy bella y arreglada.

—¿En qué lo puedo ayudar, señor Middleton? —pregunta la señora Dust mientras le hace una seña, invitándolo a ocupar uno de los sillones. Los dos se sientan con una mesa ratona de por medio.

—Estamos trabajando en la defensa de su esposo —explica Junior, haciendo notar que pertenece al equipo de abogados de la firma— y tenemos dos líneas de trabajo. La primera y principal trata de anular las pruebas que hay en su contra. Básicamente, nos enfocamos en tecnicismos que sirvan para descartar las evidencias. También buscamos coartadas que ubiquen a su marido en un lugar distinto al de los crímenes en esos momentos. Sin embargo, señora Dust, debe comprender que las pruebas son abundantes y su esposo está muy comprometido.

La mujer baja la cabeza y luego mira hacia un costado, mordiéndose el labio inferior. Junior ve que sus ojos se ponen vidriosos. Está conteniendo las lágrimas.

—Me cuesta creer lo que está sucediendo —dice la mujer con la voz quebrada—. Mi esposo tiene defectos, como cualquiera, pero no es un asesino.

—Estoy seguro de que es como usted dice —continúa Junior, tratando de resultar empático—. Pero lo que importa en un juicio no es la verdad, sino la evidencia. Es por eso mismo que tenemos una segunda línea de trabajo para la defensa. Estamos trabajando sobre la posibilidad de que haya sido incriminado. Si las pruebas son irrefutables, debemos comprobar entonces que fueron plantadas.

La mujer mira a Junior y una luz de esperanza se enciende en sus ojos. Es lo que ella quería escuchar, que su marido no es un asesino, que alguien lo inculpó, que es inocente.

—Es por eso —prosigue Junior— que necesito que me cuente todo lo que sepa sobre las actividades del señor Dust. ¿Quién querría sacarlo del negocio? ¿Quién querría vengarse? Lo que sea.

—Evan es un empresario exitoso —responde la mujer mientras reflexiona sobre los posibles sospechosos —, eso genera mucha envidia y resentimiento. Debe haber mucha gente molesta con él.

—¿Sabe de algo específico? —insiste Junior, sintiendo que la mujer está dispuesta a cooperar—. Quizás haya algo en lo que estuviera trabajando en este momento que podría generarle más enemigos de lo normal.

—Él no me cuenta de sus negocios —le afirma pensativa—, pero hace un par de meses me dijo que, cuando saliera una determinada ley, se convertiría en el hombre más rico del país.

Este dato le parece a Junior una revelación. ¿Qué tiene que ver Dust con la política? Si una ley puede ayudarlo con sus negocios, hay políticos que tienen sus intereses puestos en ellos. Quiere saber más al respecto.

—¿A qué ley se refería? —pregunta, esperando que la mujer sea más clara.

—No lo sé —contesta ella alzándose de hombros y meneando la cabeza—. Le pregunté, pero me dijo que cuánto menos supiera, estaría más segura.

—¿Por qué «más segura»? —inquiere Junior al

pensar que tal vez la mujer sepa más cosas de lo que ella misma cree—. ¿Hay algo que lo haya puesto en riesgo?

—Bueno —dice ella, dudando, pareciera no estar segura de lo que está a punto de decir—. Evan me dejó un sobre con información por si a él le pasaba algo, pero yo no puedo dárselo sin su autorización.

—Entiendo —dice Junior mientras piensa que esa información podría ser fundamental—, hablé con su esposo mientras estuvo en la comisaría. Volveré a hablar con él en unos días cuando vaya a verlo a la prisión y le hablaré del sobre. ¿Usted ha visto su contenido?

La mujer niega con la cabeza.

—Okey —dice Junior mientras busca otra alternativa. La idea de un sobre con evidencias es muy tentadora, piensa que luego lo hablará con el equipo para intentar hacerse con él—. Volvamos a sus negocios entonces. ¿Hay alguien a quien el señor Dust le deba favores?

La mujer mira hacia un costado y se pone nerviosa. Luego vuelve a bajar la cabeza. Está claro de que sabe algunas cosas de las que no se atreve a hablar.

—Vamos, señora Dust —insiste Junior al percibir que la mujer está ocultando algo—. Debe darme algo con qué trabajar. Su marido tuvo una carrera impresionante, se volvió rico casi de la noche a la mañana. Alguien debió de haberlo apadrinado.

—Mamá…

Se oye la voz de una niña gritando en la habitación contigua.

—Disculpe, por favor —se excusa la mujer y se

levanta del sillón. Sale de la sala para ver qué sucede con su hija.

Apenas puede, Junior mira en la dirección en la que miró la mujer cuando le preguntó si alguien lo apadrinaba. Encuentra sobre un estante una serie de cuadros con fotos. Se levanta del sillón y se acerca a verlas. Algunas son de sus hijas, otras de viajes y algunas del casamiento. Hay una sola foto que muestra a alguien más aparte de su esposa e hijas. Es una imagen de la boda donde Dust aparece con un hombre mayor que lo abraza de manera paternal. Lo extraño de esa imagen es que al hombre no se le ve la cara porque se está cubriendo con la mano. Conociendo su historia, Junior sabe que ese hombre no es su padre. Podría ser su suegro, pero por las dudas, saca su teléfono y le toma una foto al cuadro. Luego vuelve a sentarse.

Cuando regresa la señora Dust, Junior observa que la mujer viene con un gesto más serio.

—Lo siento, señor Middleton —dice ella sin sentarse, permanece parada a su lado como esperándolo—. Creo que no puedo ayudarlo.

—Soy yo quien está tratando de ayudarla a usted y a su marido —la contradice Junior mientras se pone de pie—. Pero no puedo hacer demasiado sin su colaboración.

La mujer se acerca a Junior y, mirándolo fijo, le habla en voz baja.

—Si pudieron inculparlo de no sé cuántos crímenes —dice con la voz temblorosa—, ¿qué cree que puede pasarme a mí o a mis hijas si digo algo que no debo?

Junior la observa sin decir nada. Comprende por lo que está pasando y puede ver el temor en su mirada. Por más que Junior intuya que para estar casada con alguien como Dust la mujer es hasta cierto punto cómplice de su marido, no puede evitar sentir algo de pena por ella. En definitiva, es una madre temiendo por la vida de sus hijas. Piensa en decirle algo más, pero se calla. Sabe que no obtendrá más información.

—Gracias, señora Dust —dice Junior y comienza a caminar hacia la salida. La mujer lo acompaña. Cuando ella le abre la puerta, Junior la mira.

—Sé por lo que está pasando —le dice y le da una de las tarjetas que le imprimió Andrew—, pero si tiene algo para decir, hágamelo saber. La vida del señor Dust pende de un hilo.

Apenas sale de la casa, Junior recibe un mensaje por teléfono. Es de la diputada Eva Longobardi.

—Hola, Junior, debemos vernos ya mismo. Ven al Central Park. Escríbeme cuando llegues.

27

ESTOY DISPUESTA A TODO

Penitenciaría, Los Ángeles, California
Jueves, 28 de julio, 3:40 p. m.

Debo ser rápida. Ya está decidido lo que tengo que hacer. Así que, sin dudarlo, me mando detrás del guardia. Camino rápido pero en silencio. Miro atrás para ver a Kim, que se asoma por la ventanilla. Así compruebo que está al tanto de lo que estoy haciendo, pero de inmediato me vuelvo para no perder mi concentración. El guardia llega a la puerta de la pequeña oficina. El que estaba dentro me ve justo detrás de su compañero y me mira extrañado, sin comprender qué hago allí. El otro advierte la mirada de su compañero y gira para ver qué está pasando. Apenas se da vuelta y me encuentra, le doy un puñetazo en el rostro que lo tira de espaldas dentro de la oficina, dándose contra un escritorio. El otro guardia se levanta del asiento, sacando su arma, y le doy una patada en el pecho. El guardia anterior intenta recomponerse, pero con un codazo en la nariz cae inconsciente. El otro se endereza, levantando su pistola. Se la atajo con mi mano izquierda y con la derecha lo golpeo en la cara una, dos y tres veces, hasta que siento que la tensión de su cuerpo se afloja, deslizándose lentamente hacia el suelo.

Me paro en el medio de la oficina y los miro. Los dos están inmóviles y con el rostro ensangrentado. Me da un poco de pena, solo realizan su trabajo, que, por otro lado, es indispensable. Sin embargo, hoy se interponen en mi camino y no puedo actuar de otra manera, lo siento.

Utilizo las esposas que ambos tienen para inmovilizarlos contra una columna. Luego les quito los cinturones y los amordazo. Siguen inconscientes, cuanto más tiempo sigan así, mejor. No me gusta darles una paliza a estos hombres, pero no pude entrar a la prisión armada por temor a que me descubrieran en la entrada, así que la única forma de dominarlos era cuerpo a cuerpo. Tomo sus armas, las reviso y las guardo en mi cintura.

Observo la pantalla donde se ve el escáner. Antes de mi ataque, el guardia de la oficina llegó a activar la cinta del aparato. Es manejada por una palanca tipo *joystick*. Me acerco y la manipulo. Miro cómo la cinta transportadora se acelera o se enlentece. Encuentro la posición más lenta posible y la fijo ahí. Necesito tiempo. En otra pantalla se ve el escáner desde afuera, es la cámara que vi al llegar. En la imagen solo se ve la pared con la entrada del escáner y la parte trasera del camión. No hay ninguna otra cámara aquí dentro, así que nadie me vio. Estoy segura de que esa cámara no solo es monitoreada desde esta oficina, sino también desde algún otro lugar, quizás un centro de vigilancia que concentra todas las cámaras del presidio. Así que debo ser cuidadosa con lo que permito que se vea. Es hora de entrar, pero tengo que evitar ser vista.

Salgo de la oficina y observo que Kim ya ha bajado del camión para esperarme allí. Le hago señas para que se acerque a mí, de esa manera queda fuera del ojo de la cámara.

—¿Estás bien? —me pregunta Kim luego de ver mi enfrentamiento.

—Sin un rasguño —le respondo y comienzo a darle las instrucciones—. Yo entro y tú me esperas aquí. Irás pasando los insumos por el escáner lo más despacio posible, así me das tiempo a entrar y salir. Ten esto.

Le extiendo una de las pistolas y Kim la agarra. La estudia y la mete en su cintura por dentro de la camisa para que quede oculta. En los últimos años, se ha preparado en el uso de armas. Si bien nunca ha tenido oportunidad de usarlas en la vida real, sabe cómo hacerlo. Yo vuelvo a revisar la pistola con la que me quedo y veo que tiene solo dos balas. No le digo nada a Kim, en realidad, espero no tener que usarla. Así que con dos balas será suficiente en el caso extremo de que la necesite. Prefiero que Kim esté mejor equipada que yo. Le señalo la cámara que apunta al escáner y ella la mira.

—¿Cómo pasarás por ahí sin que te vea la cámara? —me pregunta Kim al comprender la situación.

—Tengo una idea —le digo sin explicarle nada—. Me contaste que te has estado ejercitando, ¿verdad?

—Claro que sí —me contesta, sonriendo, mientras

flexiona el brazo mostrándome su musculatura—. ¿Cómo crees que me pude zafar de Dust en el yate?

—Bien, vamos —le digo y nos dirigimos a la parte de atrás del camión, volviendo a ingresar en el área de la cámara.

Abrimos la puerta trasera y me subo para revisar los insumos que debemos pasar por el escáner. Es mucha mercadería, así que Kim tardará bastante, eso está bien. Agarro un paquete de botellas plásticas de leche y se lo paso. Ella lo recibe y lo pone dentro del escáner. Le acerco otro paquete de leche y miro una bolsa de 40 kilos de papas.

—¿Puedes con la bolsa de papas? —le pregunto mientras Kim agarra el segundo paquete de botellas de leche. Ella la mira y asiente con la cabeza.

Acerco un tercer paquete de leche al límite del camión y agarro la bolsa de papas. La abro y la vacío. Kim vuelve a buscar el siguiente paquete y me mira sin comprender. Lo levanta y vuelve hacia el escáner. Mientras tanto, yo me meto en la bolsa. No logro entrar por completo, pero me flexiono lo más posible y con otro plástico cubro mi torso y cabeza. Me dejo caer cerca del borde para que Kim me pueda agarrar. Ya no la veo, pero espero no ser muy pesada para ella y que me pueda cargar.

Enseguida, siento sus brazos aferrándome. Me manipula hasta hacerme girar. Por último, me arrastra hasta el borde y siento que voy a caer al suelo desde el camión, pero no es así, logra sostenerme. Percibo el vaivén de sus pasos. Es apenas un metro el que separa al camión del escáner, aunque parece una caminata eterna. Me deja caer sobre la cinta transportadora. Me empuja de la cabeza para que entre sin golpear contra el costado de la máquina. En cuanto todo se pone oscuro, comprendo que estoy fuera del alcance de la cámara y me quito el plástico que me cubría la cara. Libero los dos brazos y saco el arma que le quite al guardia. Veo la luz al otro lado del aparato tras una cortina de cintas que se van abriendo a medida que mis piernas empiezan a salir. Apunto con el arma hacia adelante para enfrentarme a lo que encuentre del otro lado. Estoy dispuesta a todo.

Algún lugar de Los Ángeles, California
Jueves, 28 de julio, 3:45 p. m.

Alain llega al hotel en el que Andrew le dijo que se encontraría el agente Smith. Aún no sabe cómo lo detendrá, pero espera tener tiempo para idear algo. Estaciona su coche. Consigue un lugar a una cuadra. Va caminando luego hacia el hotel. Piensa entrar y hacer de cuenta que quiere una habitación para ver cómo es el sitio. Supone que, una vez allí, sabrá qué hacer, siempre fue bueno improvisando.

Cuando llega a la entrada, se detiene de repente. Ve al agente Smith de pie en la recepción, hablando con alguien del hotel. Alain se hace a un costado de la entrada para no quedar parado en el medio sin ir a ningún lado, no quiere llamar la atención, pero debe vigilar los movimientos de Smith. Lo observa de reojo a través de los cristales del vestíbulo. Ve que comienza a caminar y va hacia una puerta lateral. Un cartel sobre la puerta que atraviesa Smith dice que se trata del *parking*.

—Se está yendo —dice en voz baja Alain y mira el suelo. Luego vuelve a mirar hacia ambos lados, buscando algo que no sabe qué pueda ser. Encuentra la salida del *parking* y camina hasta allí. Se asoma. Ve a Smith entrando a su coche. Alain está muy lejos de su vehículo, si lo va a buscar, probablemente pierda a su objetivo. Había jugado con la idea de atropellarlo, pero ya no tiene tiempo. Smith arranca y se acerca a la salida.

El coche asoma la trompa, el agente del FBI ve que no viene ningún vehículo por la calle, así que vuelve a arrancar y sale por fin de la cochera. Es entonces cuando se escucha un golpe y Smith frena. Alguien que salió corriendo de quién sabe dónde se le atravesó y se lo llevó por delante.

—¡Por Dios! —exclama el agente Smith, sorprendido. Por un instante se queda aferrado al volante, mirando qué pasa con el hombre que acaba de atropellar. Desde dentro del vehículo, no lo llega a ver, debía de estar tirado adelante. No se levanta. Es por eso por lo que Smith intenta bajar del coche, pero el cinturón de seguridad no lo deja. Forcejea un poco hasta quitárselo. Entonces baja y corre hasta el frente del vehículo. Puede ver allí, inconsciente en el suelo, a un hombre joven con una barba corta. Es Alain, pero Smith no lo sabe.

No hay sangre, aunque Alain no se mueve. Un par de personas se acercan. Una mujer se arrodilla junto al hombre tendido en la calle y le toca la cara. Alain no responde, se queda quieto. Intentará mantenerse así todo el tiempo posible.

—No lo toquen —dice otro hombre que se acerca corriendo—. Puede tener una contusión. Hay que llamar a los paramédicos.

—Yo llamo —dice un empleado del hotel que había salido para ver qué estaba sucediendo.

Cada vez más gente se acerca, rodeando a Alain y al coche. Smith mira atónito todo lo que sucede a su alrededor.

—¿Qué pasó? —le pregunta una señora mayor que trae una bolsa de supermercado.

—No sé de dónde salió —explica Smith entre ofuscado y confundido—, apareció corriendo de la nada, como si se hubiera arrojado frente al coche.

—Sí, claro —responde la señora mayor, levantando la bolsa del supermercado de manera amenazante—. La gente se anda tirando por ahí frente a los vehículos.

28

QUÉDATE DETRÁS DE MÍ, PEQUEÑA

PENITENCIARÍA, Los Ángeles, California
Jueves, 28 de julio, 3:50 p. m.

CUANDO LA CORTINA de tiras se termina de abrir y puedo ver a dónde estoy llegando, me encuentro con una habitación vacía. La cinta transportadora sigue andando y me quito la bolsa de las piernas antes de llegar al límite. Entonces, salto de la mesa al suelo esquivando los dos paquetes de leche que ya cayeron allí. Hay un par de botellas reventadas, por lo que el suelo ya es un desastre. Esto irá empeorando en la medida que Kim siga mandando cosas. Solo espero que la mercadería no se acumule hasta trabar la cinta, porque eso terminaría siendo visto por la cámara de afuera, haciendo que Kim quedara expuesta.

Miro a mi alrededor y me doy cuenta de que es una habitación cerrada. No hay estanterías dónde poner la mercadería, ni insumos de ningún tipo. Me acerco a la única puerta que encuentro, tironeo y compruebo que está trabada electrónicamente. Es parte del sistema de seguridad. Al estar el escáner siempre abierto al exterior, es esta puerta la que realmente cierra la salida. Veo a un lado un botón con una luz roja. No puedo más que arriesgarme. Aprieto el botón. La luz roja parpadea y giro el picaporte. La puerta no se abre.

—Por supuesto —digo en voz alta al darme cuenta de que es como pensaba.

Me llevo las manos a la cintura y doy una vuelta. Este es un sitio intermedio entre la cocina y el exterior, que se abre desde algún otro lado. Puedo intentar forzarla, para lo cual necesitaría herramientas que no tengo. Sin embargo, probaré algo antes. Si tenemos suerte, será sencillo. Saco mi móvil y llamo a Kim.

—Escucha, Kim —le digo cuando atiende el teléfono—. Tengo un problema aquí. Ve a la oficina y busca algún dispositivo, supongo que tiene que haber un botón o palanca. Necesito que lo actives para abrir una puerta.

—Voy —responde Kim y escucho sus movimientos. La cámara ve lo que hace, pero no me preocupa, solo entra y sale de cuadro, aunque nadie sabe lo que hace afuera—. Hay un gran botón rojo. Lo voy a apretar…

—¡Espera, espera! —le grito al escucharla—. Esa puede ser la alarma. Busca si hay algo más.

—Okey —dice Kim mientras continúa revisando—. Los guardias siguen dormidos, tal vez deba despertar a alguno para que me diga dónde está ese dispositivo. Un momento, creo que lo encontré.

—¿Cómo es? —le pregunto, tratando de imaginar cómo se debería de ver.

—Es una caja metálica empotrada a la pared junto al escritorio. Tiene un botón con una luz roja encendida —describe Kim y creo que esta vez dio en el clavo, es igual a lo que veo aquí—. ¿Qué hago? ¿Lo presiono?

—No tenemos chance, Kim —le digo cruzando los dedos—. Hazlo.

La luz roja comienza a parpadear. Giro el picaporte, pero no se abre. ¡Qué diablos!

—Yo sigo apretando —me dice Kim por el móvil al no escuchar ninguna respuesta de mi parte.

Entonces, comprendo cómo se hace y aprieto yo también el botón de mi lado. La luz se pone verde y el picaporte cede. La puerta se abre.

—Listo, Kim —le aviso enseguida—, sigue con lo tuyo.

Nuevamente levanto mi arma y empujo la puerta. Ahora sí, a medida que esta se abre, veo la cocina, con sus instrumentos e insumos en estantes. Un hombre enorme vestido de blanco aparece de espaldas ante mí. Tiene un gorro blanco. Seguro es el cocinero. Me acerco despacio. Me detengo a un metro.

—Date vuelta lentamente —le digo. El hombre, que estaba inclinado hacia adelante sobre una mesa, se endereza y es aún más grande de lo que me había parecido. Tarda un segundo en reaccionar. Luego gira y me mira sorprendido. Tiene las gigantes manos llenas de harina. Las sacude y se las limpia en el delantal que trae puesto. Entonces sonríe, mostrándome sus grandes dientes irregulares.

—¿Qué hace una niña como tú jugando con armas? —pregunta el hombre y da un paso adelante. Lo apunto con la pistola directo a la cabeza y amartillo.

—Juego muy bien con armas —le contesto, haciéndole saber que estoy segura de mí misma—. ¿Quieres probar?

—Mira, niña —dice el hombre, que continúa sonriendo—. Tal vez podrías volarme los sesos, pero ¿qué crees que pasaría después? Esos juguetes hacen mucho ruido.

—¿Sabes qué? —le digo, cambiando de estrategia. No puedo perder tiempo y este simio gigante se está haciendo el difícil. Así que meto el arma en mi cinturón y saco trescientos dólares del bolsillo—. ¿Qué tal esto? Pareces un tipo inteligente. Haces como que no me viste, sigues amasando tus panes y te quedas con unos dólares en el bolsillo.

—Ahora sí nos entendemos —dice el grandote y larga una carcajada.

—Es más —le digo, improvisando sobre la marcha—, si me das la información que necesito y mantienes esta puerta abierta, puedes venir conmigo. Si todo sale bien, muchos billetes te estarán esperando afuera.

El hombre mira la puerta y los ojos le brillan. Entonces, me apresuro a aclarar algo porque veo sus intenciones.

—Pero cualquier cabeza que se asome al otro lado de aquella máquina que no sea la mía recibirá un tiro sin preguntarle nada.

—¡Oh! —El hombre vuelve a sonreír—. Tienes todo pensado, chiquilla, me gustas. ¿Cómo te ayudo?

—Necesito llegar hasta donde se halla un nuevo recluso —le explico—, Evan Dust. ¿Cómo lo encuentro? Debería de estar en la lavandería.

—Sí, sí, el asesino de mujeres —contesta el cocinero, pensativo—. Está en la lavandería justo ahora, te puedo decir cómo llegar. Pero con esa facha no irás muy lejos. Ponte esto.

El hombre camina un par de metros, agarra una chaqueta con capucha que se encontraba en un perchero y me la alcanza. La agarro y me la pongo, incluso la capucha.

—La usa el carnicero cuando entra a la cámara frigorífica —me dice mientras me mira de arriba abajo—. No es suficiente, niña. Será mejor que te acompañe el primer tramo. Pero deberás darme muchos billetes luego.

—Hecho.

En realidad, no tengo intención de darle más dinero, ni siquiera pienso en sacarlo, pero por el momento seguiré la farsa.

El cocinero va hasta la puerta por la que entré y la entorna, trabándola con un trapo. Luego empieza a caminar sin prisa hacia la salida.

—Quédate detrás de mí, pequeña.

29

SÁCAME DE AQUÍ

Penitenciaría, Los Ángeles, California
Jueves, 28 de julio, 3:55 p. m.

El cocinero empuja la puerta vaivén y yo la atravieso detrás de él. Es un pasillo de aproximadamente ocho metros con una pared a la derecha y un mostrador a la izquierda que da al comedor. En este momento, el pasillo, que es donde los encargados de la cocina sirven la comida al resto de los presos, está vacío. En el comedor, sin embargo, hay dos hombres trapeando. Los miro de reojo. Ellos me observan y se hacen gestos entre sí. Está claro que les llama la atención mi presencia. No saben quién soy ni qué estoy haciendo allí. No sé si alcanzan a darse cuenta de que soy mujer, espero que no.

—¿Qué miran? —pregunta el cocinero de manera intimidatoria y los dos hombres bajan la cabeza para continuar con los suyo

Atravesamos una puerta y llegamos a una pequeña habitación con fregaderos y vajilla, que es donde se lava todo lo utilizado para servir la comida, tampoco hay nadie allí. Nos detenemos frente a una puerta y el gigante se da vuelta.

—Bien, pequeña —dice el hombre mientras veo que busca algo en su bolsillo. Yo, por las dudas, aferro el arma que llevo dentro de la chaqueta con fuerza, no sé qué es lo que este hombre está tramando. Entonces, saca un manojo de llaves y me relajo—. Esta puerta da al patio. Solo yo tengo las llaves, ahora la abro, sales y la vuelvo a cerrar. Cuando regreses, grita fuerte mi nombre, yo estaré atento y te volveré a abrir.

—Una vez en el patio, ¿hacia dónde debo ir? —le digo pidiéndole más instrucciones.

—Camina pegada a la pared de la derecha —me explica señalando con la mano como si yo no supiera diferenciar la derecha de la izquierda—. Llegarás a una puerta con un solo guardia. Ponle un par de billetes en la mano y abre la puerta sin decir nada. Te dejará pasar sin hacer preguntas. Todos lo hacen cuando quieren tener un poco de intimidad, tú me entiendes.

Asiento con la cabeza, pero no quiero pensar en lo que hacen los reclusos tras esa puerta, espero no encontrar ninguna escena amorosa allí. Como nos explicó Andrew sobre este lugar, los reclusos tienen el control y hacen lo que quieren. Hasta ahora, dicha característica está jugando a mi favor.

—Allí hay un pasillo que te llevará directo a la lavandería, no deberías de perderte —prosigue explicando el cocinero, que parece experto en los recovecos de la penitenciaría—. Esa entrada no se utiliza nunca, así que tu aparición en aquel lugar será inesperada.

—Una cosa más —le digo cuando el hombre se da vuelta para abrir la puerta—. Me dijiste que te llame por tu nombre. ¿Cómo te llamas?

El hombre me mira de costado y me sonríe.

—Me conocen como «Bestia» —me dice mientras introduce la llave en la cerradura. Su apodo me hace acordar a mi querida bestia negra. No soy creyente ni supersticiosa, pero que este hombre me haya dado una mano me hace pensar que mi Bob, mi bestia negra, desde algún lado, me está ayudando.

La puerta se abre y salgo con las manos en los bolsillos de la chaqueta y la cabeza cubierta por la capucha. No miro a nadie. Hay muchos hombres en ese patio separados en grupos. Algunos hablan y ríen, otros se ejercitan, pero la mayoría se encuentra fumando sin hacer nada más. No sé si me ven o si paso desapercibida. Estoy concentrada en el guardia que veo al otro lado del patio, junto a la puerta que me mencionó Bestia. Esquivo a un grupo de tres reclusos que están apoyados contra la pared. Advierto que me observan intrigados.

—¡Hey, tú! —me dice uno de ellos, pero sigo de largo como si no hubiera escuchado nada. Quiero llegar rápido, aunque no puedo acelerar el paso porque llamaría demasiado la atención, así que mantengo el mismo ritmo.

Cuando al fin me acerco al guardia, que solo se diferencia del resto de los presos por una cinta roja que rodea su brazo derecho y una porra en la cintura, mantengo la cabeza gacha y saco un billete de cien dólares. Se lo muestro y se lo pongo en la mano, como se me indicó. El hombre no me dice nada, ni siquiera me mira, continúa observando el patio como si yo no estuviera allí. Extiendo mi mano y giro el picaporte. La puerta se abre y salgo de ese sitio a la vista de todos para meterme en un pasillo oscuro, sucio, con todo tipo de olores. Afortunadamente, no me encuentro con nadie. Al parecer, ningún recluso quiso tener intimidad el día de hoy, mejor así.

Continúo caminando por ese lugar y ahora sí apuro el paso. Alcanzo a ver la puerta al final del pasillo. Esa debería dar a la lavandería. Corro hasta ella, ya he perdido mucho tiempo y Kim debe seguir bajando cajas del camión. No tengo idea cuánto tiempo tardará en terminar de bajar todo, pero en algún momento sucederá y deberá marcharse. Si lo hace, quedaré atrapada aquí adentro. Tampoco puede quedarse allí, esperando sin hacer nada, porque llamaría la atención de algún guardia, y no solo la detendrían, sino que además sabrán de mí, por lo que toda la operación sería un fracaso. También están los guardias que derribé en la oficina. Aunque estaban bien atados, ya debían de estar despiertos y alguno se podría soltar. Demasiadas cosas pueden salir mal, debo concentrarme y continuar con lo mío. No tiene ningún sentido que me preocupe por cosas que no puedo manejar.

Ya en la puerta, apoyo mi mano en el picaporte y suspiro, es hora. Giro la manija, pero la puerta no se abre. Empujo. No pasa nada.

—¡Diablos!

Esta es una de las cosas que podían salir mal. Me aferro al picaporte con las dos manos y empujo con el hombro. La puerta de metal rechina y pareciera que comienza a ceder. Vuelvo a empujar con todas mis fuerzas y, con un horrible ruido metálico, la puerta se abre de golpe por completo.

Lo que veo allí me sorprende. Hay solo una persona, es Dust. Está fregando calzones completamente desnudo. Suelta lo que sostiene y se cubre los genitales con las manos al verme. Su rostro primero muestra sorpresa, luego vergüenza y, por último, alegría. Me acerco rápido hacia él. Tomo unas prendas de un pilón de ropa sucia y se las arrojo.

—Por favor, Ainara —me dice suplicando—. Sácame de aquí.

30

DEBEN LLEVARNOS CON USTEDES

Penitenciaría, Los Ángeles, California
Jueves, 28 de julio, 4:00 p. m.

—Sácame de aquí —me dice desnudo, tiene el cuerpo lleno de moretones. Las marcas de su último encuentro conmigo ya deberían haber desaparecido, así que lo que estoy viendo es el resultado de su relación con el resto de los reclusos. No es casual que esté desnudo. Ya sea por ser nuevo o por sus crímenes hacia las mujeres, le están dando una lección. Tal vez ya se haya convertido en «la perra» de alguien. No puedo ocultar un sentimiento de satisfacción al verlo en este estado, se merece todo lo malo que le pueda pasar. Sin embargo, no he venido aquí para regocijarme del castigo que está recibiendo, sino para llevármelo.

—Ya estoy aquí —le digo para que entienda de lo que soy capaz y de que no estoy jugando—. Ahora dime algo que me convenza de sacarte o me voy en este momento.

—Tengo un depósito en Arizona —dice Dust mientras se pone unos pantalones que le di—, allí guardé un cargamento de armas para el Anillo. Luego podrás corroborarlo con el FBI, hubo una denuncia al respecto.

Lo que me dice concuerda con lo que averiguó Freddie, por lo que ahora estoy segura de que no está fanfarroneando.

—«Alldepot». Eso ya lo sabía —le digo mientras Dust se pone una camisa sucia y me mira sorprendido—, pero es suficiente por ahora. Vámonos ya.

Dust asiente con la cabeza, nervioso, y se termina de vestir. Cuando me doy vuelta para volver hacia el pasillo con destino a la cocina, veo que por la puerta entran tres hombres. Son los que me crucé en el camino por el patio.

—Te dije que era una mujer —le dice uno de ellos, entusiasmado, a uno de sus compañeros—. Podemos tener una fiesta aquí.

—La tendremos —dice el que está parado delante de los tres, es el más pequeño, pero parece ser el líder—. Ve a buscar a los muchachos.

—Pero… —protesta el que habló primero, quien no quiere perderse «la fiesta». Entonces, el líder lo mira fijo y ya no se queja más. Baja la cabeza y se marcha por donde vino.

No tengo ganas de perder tiempo con esto, así que camino directo hacia los dos hombres sin dar vueltas. Prefiero no usar mi arma, todavía puedo evitar llamar la atención. En cuanto estoy a un paso, el líder sonríe, mostrando dos dientes de oro. Es suficiente un puñetazo para borrarle la sonrisa. El que estaba parado a la izquierda viene hacia mí, pero lo detengo con una patada en los testículos. El de los dientes de oro se repone e intenta sujetarme de la ropa. Lo tomo de la muñeca con la mano derecha y se la retuerzo a la vez que con el antebrazo izquierdo le golpeo con toda mi fuerza en el codo. Se escucha un crujido y el hombre grita. El otro quiere atacarme y le vuelvo a pegar otra patada en los testículos. Esta vez cae y no se vuelve a mover. Lo miro a Dust.

—Vamos —le digo mientras vigilo que ninguno de los dos hombres se levante del suelo—. Debemos llegar a la cocina.

Es entonces que escucho murmullos y ruidos que vienen desde el pasillo. Vuelvo a mirarlo a Dust, no sé si abrirme paso a los golpes por el pasillo o tomar otro camino. Dust parece entenderme.

—Aunque atravesáramos el pasillo —advierte—, en el patio ya deben saber que algo está pasando. No podrás con todos. Tengo otro camino.

—Te sigo —le digo, confiando en él. Lo que más quiere es salir de aquí, así que no tiene motivo para mentir, sabe que soy su única alternativa.

—Debemos cruzar por las celdas —me avisa mientras corremos hacia la puerta principal de la lavandería —. De allí, saldremos a un pasillo que nos conduce al comedor. Una vez allá, solo debemos saltar el mostrador. No te quites la capucha.

Salimos a un corredor donde nos cruzamos con un par de personas que nos ven correr, se miran entre ellos y comienzan a perseguirnos. Veo a un hombre venir hacia mí con un palo en alto. Tiene un brazalete rojo como el del guardia que soborné para llegar a la lavandería, por lo tanto, entiendo que también es un guardia. No tengo ningún deseo de saltarle encima y darle un puñetazo en la sien que lo noquee instantáneamente. Debo tener siempre en mente que todos estos hombres son delincuentes haciendo de guardias, por lo que no tengo por qué cuidar de no lastimarlos demasiado. Se escucha la porra del guardia caer al suelo y la levanto.

El guardia estaba cuidando la puerta de ingreso a las celdas. Lo veo a Dust quitarle un juego de llaves al hombre tendido en el suelo. Trata de abrir la puerta con ellas. Los dos hombres que venían corriendo detrás de nosotros se acercan y alzo el bastón de manera amenazante. Los dos se detienen y levantan las manos, creo que comprendieron que conmigo no se juega.

—Listo —anuncia Dust cuando logra abrir la puerta.

La atravesamos juntos y encuentro otro guardia, un hombre muy alto que se sorprende al vernos.

—¡Que mier…!

No termina de decir la palabra porque le doy un porrazo en los dientes, luego uno de punta en el estómago, y cuando el hombre se agacha por el golpe, le pego en la nuca haciendo que caiga desmayado.

Veo entonces que detrás de nosotros, por el pasillo, viene corriendo una veintena de hombres, deben de ser los que escuchamos venir desde el patio. Dust se apresura a cerrar la puerta y echarle llave. Los dos que venían detrás lograron traspasar la puerta y nos miran expectantes. No saben de qué se trata todo esto, pero deben de pensar que algo conseguirán si nos siguen. El guardia era tan rudo como parecía, porque comienza a levantarse del suelo. Alzo la porra para volver a darle, pero no es necesario, uno de los dos presos que nos seguía le patea la cabeza y el guardia cae definitivamente. El preso me sonríe. Yo no le respondo y retomamos la carrera.

Estamos en el pabellón de celdas, el lugar tiene dos pisos. Puedo ver el balcón superior con presos que se asoman para ver qué pasa aquí abajo. Los reos que están dentro de las celdas comienzan a salir al escuchar los ruidos, las rejas están abiertas. Siento que estoy entrando a la boca del lobo. Los que venían por el pasillo ya llegaron a la puerta y empiezan a golpearla, no sé cuánto resistirá.

—Vamos —dice Dust, que empieza a correr hacia el otro extremo de la sala. Ahí también hay otro guardia custodiando la puerta que da al siguiente pabellón. El hombre blandea su porra al vernos.

En ese momento, suena una alarma y las rejas de las celdas se cierran automáticamente. Muchos presos lograron salir, pero la mayoría quedan atrapados dentro. Todos gritan pidiendo que los saquen. Los presos que nos rodean me miran esperando que actúe, no los veo con intención de agredirme. Creo que ven una oportunidad de escapar.

El guardia que custodiaba la puerta hacia el otro pabellón depuso su actitud hacia nosotros y empieza a golpear la puerta, trabada de forma automática. Varios hombres caminan hacia él. No llego a ver lo que le hacen. Solo lo escucho gritar.

—Dust —dice un reo que se aproxima con otros dos, habían salido de la primera celda, en el extremo del pabellón junto a la salida a la que nos dirigíamos—. ¿Qué haces?

—Me voy de aquí —responde—, tenemos que llegar a la cocina.

—Las puertas se han cerrado por la alarma —explica el hombre, quien tiene una cicatriz que le atraviesa el rostro—, pero hay otro camino.

Lo miro a Dust pidiéndole explicaciones, no sé quiénes son estos ni por dónde quieren ir.

—Son mis compañeros de celda —me explica Dust, señalando la celda vacía de la que los vi salir.

—Si quieren escapar —dice el hombre de la cicatriz en voz baja, acercándose a mí—, deben llevarnos con ustedes.

31

SUPONGO QUE TU NOMBRE ES AINARA

Algún lugar de Los Ángeles, California
Jueves, 28 de julio, 4:05 p. m.

La ambulancia llega a la puerta del hotel. Bajan los paramédicos y se abren paso hasta Alain, que sigue inmóvil. Le toman los signos vitales y todo está en orden. Mientras tanto, Smith habla con un oficial de la Policía de Los Ángeles. Ya se presentó como agente del FBI y está dando una declaración de cómo sucedió el accidente. Es entonces cuando suena el teléfono y Smith atiende.

—Hola, jefe —dice la voz al otro lado de la línea, es el agente López—. Ya estoy en la cárcel, esperándolo, acaba de suceder algo, se está llevando a cabo un motín. ¿Usted está llegando?

—¿Cómo? —pregunta Smith sorprendido y casi

gritando—. No pude salir del hotel, tuve un accidente con el coche. ¿Un motín dices? ¿Qué es lo que sabes?

—No sé demasiado, jefe —responde López—. Esto acaba de pasar. Aquí me dijeron que la cámara del pabellón de Dust detectó el problema. Uno de los guardias fue atacado por alguien no identificado y varios reos intentaron tirar abajo una puerta. Los guardias activaron la alarma y las puertas internas se cerraron automáticamente. Esto es todo lo que sé.

—¿Y Dust? —pregunta Smith desesperado—. ¿Dónde está Dust?

—Pregunté, pero no me dijeron, jefe —explica López excusándose—. Esto es un caos. El tema es que no tenemos autoridad sobre el presidio, dependemos del personal penitenciario.

—¡El personal penitenciario una mierda! —contesta Smith furioso—. Que entren ahí ya mismo y busquen a Dust. Yo voy en camino.

Smith corta y mira al oficial que le está tomando la declaración.

—Tú vienes conmigo —le dice de manera imperativa —, necesito tu patrulla.

—¿Perdón? —pregunta el policía, quien no está acostumbrado a que un desconocido le hable así—. Yo no soy su chofer.

Smith se le acerca entonces y le dice en voz baja.

—Escucha, estúpido. Depende de lo que decidas en este momento, puedes ser recomendado para un ascenso o degradado a un simple «chofer». ¿Qué harás?

El policía lo mira un instante, sabe que aquel hombre

es jefe de operaciones del FBI y evalúa cómo responder. Decide que es mejor tenerlo de amigo.

—¿A dónde lo llevo, señor?

Penitenciaría, Los Ángeles, California
Jueves, 28 de julio, 4:05 p. m.

«Deben llevarnos con ustedes».

Pienso un instante en esas palabras y sopeso las posibilidades. No tengo más alternativa que aceptar la propuesta del compañero de Dust. Esto iba a ser una entrada y salida rápida, pero se ha complicado. La alarma terminó con el sigilo, no creo que los guardias reales que vigilan el presidio por el perímetro se queden de brazos cruzados. Si ellos ingresan al sector interior, no sé cómo saldré de aquí. Si bien entré en silencio, imagino que saldré haciendo mucho ruido. Espero que Kim tome la decisión correcta y se vaya, si me espera, la atraparán también. Busco mi teléfono para llamarla y decirle que se marche, pero no lo encuentro. Debo haberlo perdido en alguna de las peleas. Así que estoy incomunicada.

Asiento con la cabeza y el hombre de la cicatriz sonríe.

—Muchachos —le grita a todos los que lograron salir de sus celdas—. Debemos tirar abajo aquella puerta, por allí hay una salida.

El hombre señala la puerta de atrás, la que está siendo golpeada desde el otro lado por los hombres que nos perseguían. De inmediato, los más de treinta reos que estaban alrededor de nosotros corren hacia aquella puerta y empiezan a empujar, golpear y tironear. No sé qué pasará cuando logren tirarla abajo con los que están del otro lado. Pero esto ya es un motín.

—Vengan —nos dice el hombre de la cicatriz y comienza a caminar con sus dos compañeros en el sentido contrario.

Los seguimos, mientras, veo que varios presos comienzan a descolgarse de los balcones para sumarse a la fuga. Todos van hacia atrás, hacia el tumulto, nosotros lo hacemos hacia adelante. Llegamos hasta la entrada y el de la cicatriz se inclina sobre el guardia derribado para quitarle las llaves. No sé para qué las quiere si la puerta está trabada. Entonces, veo que, en vez de ir hacia la puerta principal, gira hacia un lateral donde hay una puerta con un grueso candado. Prueba un par de llaves hasta que el candado se abre. Abre la puerta y se mete enseguida. Los demás lo seguimos, hay una escalera que da hacia abajo. Apenas entramos, el hombre le vuelve a echar candado a la puerta, pero desde el lado de adentro, luego le da las llaves a uno de sus compañeros. Escucho que alguien golpea desde afuera, algún otro preso ya se debe haber dado cuenta de que nos metimos aquí.

—Ahora nadie nos molestará —afirma mientras más gritos y golpes se escuchan al otro lado de la entrada. Vuelve a tomar la delantera y comienza a bajar hacia un lugar cada vez más oscuro. Nos explica entonces—. Hasta hace cinco años, teníamos un piso más de celdas en el sótano, pero se inundó y murieron dos personas. Desde entonces, todo el sector se clausuró.

—¿Hacia dónde salimos desde aquí? —pregunto volviendo a creer que tenemos una oportunidad.

—De estas celdas, podemos pasar a un patio cerrado —me dice señalando las apenas visibles rejas oxidadas. Las está alumbrando con la luz de un móvil que acaba de sacar no sé de dónde. Me sorprende que tenga un teléfono dentro de la cárcel, pero ya descubrí que en esta prisión las reglas las ponen los reclusos, así que todo puede pasar.

—Los reos de aquí abajo también necesitaban comer —continúa explicando con ironía—, hay un acceso hacia arriba al comedor. Está sellado, pero lo abriremos sin problemas.

Parece un buen plan. Rodeando por aquí abajo nadie se entrometerá en nuestro camino. Comenzamos a caminar a oscuras entre las celdas. Noto al pisar que esto continúa inundado. En algunos lugares el agua me llega hasta los tobillos. Atravesamos todo el sector de celdas y al cruzar la siguiente puerta doblamos a la izquierda. No tengo idea de dónde estamos, seguimos totalmente a oscuras. La luz del móvil solo alumbra un metro delante de nosotros, sin embargo, me doy cuenta de que uno de los presos que bajó con el grupo ya no está, es el que se quedó con las llaves.

—Falta uno —digo.

—¿Un qué? —pregunta el de la cicatriz sin detenerse ni darse vuelta para mirarme.

—Uno de tus compañeros —le contesto mientras sigo caminando con cuidado de no resbalar.

—Ya aparecerá —contesta restándole importancia al tema.

Volvemos a cruzar otra puerta. Espero que lleguemos pronto al acceso al comedor. El hombre que nos guía parece estar muy seguro de hacia dónde va, es probable que él mismo hubiera estado recluido en este sector tiempo atrás. Creo escuchar ruidos detrás, así que el preso perdido nos debe estar alcanzando. De repente, veo que el hombre de la cicatriz se detiene.

—Esperen un minuto aquí —nos dice y con Dust detenemos el paso. Lo veo alejarse y caminar hacia la oscuridad. Su figura desaparece y solo veo la luz del móvil alejarse. Parece que estuviera buscando algo.

De pronto, escucho un ruido metálico y unas luces en el techo chispean de manera intermitente. En el juego de luz y sombras que van y vienen veo que nos encontramos en un baño. Las paredes están pintadas con grafitis, hay mingitorios e inodoros rotos, puertas de madera podrida.

—Llegamos —dice el hombre que nos guía y me mira mientras se acerca—. Supongo que tu nombre es Ainara.

32

ES UN HOMBRE MUERTO

Central Park, Nueva York
Jueves, 28 de julio, 4:45 p. m.

Junior entró al Central Park y, tal como se le había pedido, avisó a la diputada Longobardi de su llegada. Ella le respondió indicando por dónde debía ir. Junior obedeció.

Luego de caminar unos minutos, mientras avanza por un sendero, ve a la diputada sentada en un banco leyendo un libro. Se acerca lentamente, mirando a los alrededores, y logra ver, a unos quince metros, al guardaespaldas que la acompaña siempre. Junior se sienta sin decir nada y mira al frente.

—Hola, Junior —dice la mujer sin levantar la mirada de su libro.

—Hola, Eva —saluda Junior aún sin mirarla—. ¿Qué está pasando? ¿Por qué tanto sigilo?

—He cometido un grave error —dice la diputada—. Nunca debí de pedirte ayuda para Stacy.

—¿A qué te refieres? —pregunta Junior sin comprender.

—En ese momento, no sabía lo que estaba sucediendo —prosigue ella como si no lo hubiera escuchado—. Esto es mucho más grande de lo que imaginaba. Debí haberle pedido a Stacy que se olvidara del tema, pero no sabía, no sabía.

—Por favor, Eva —insiste Junior—. No te entiendo. ¿Qué cosa no sabías?

—El Anillo, Junior. —Por primera vez la diputada le dirige la mirada—. El Anillo está detrás de todo.

Esta aseveración de la diputada no le sorprende. Él ya sabe que Dust está relacionado con el Anillo, y a eso se debe lo que está haciendo Aimara. Es por eso por lo que no entiende el dramatismo de su amiga Longobardi.

—Lo sé, Eva —explica Junior—. Por eso, en este preciso momento mi equipo está sacando a Dust de la cárcel. Creemos que a través de él podremos llegar al Anillo.

—¿Que están haciendo qué? —pregunta Eva sorprendida.

—No debería contarte esto, no quiero implicarte en algo así —responde Junior, dudando—. Así que mejor no preguntes.

—No deberían de hacer nada de eso, Junior —dice la diputada negando con la cabeza—. Esto va más allá de lo que te imaginas. Cuando Stacy me pidió ayuda, me dijo que alguien le pasaría información confidencial sobre un soborno que la había dejado fuera de un importante negocio. Sin embargo, no sabía en ese momento las implicancias de lo que me decía.

Junior la escucha atentamente. Aún no comprende hacia dónde se dirige su amiga con todo esto, así que sigue escuchándola sin decir nada.

—Stacy representaba a una compañía petrolera internacional y estaba intentando ganar una licitación del Gobierno para abastecer de combustible a distintos sectores —explica la diputada—. Su empresa fue descalificada y la licitación se suspendió. Ella creía que otra petrolera había sobornado a políticos para que esto sucediera y, cuando se reanudara la licitación, esta otra empresa la ganaría. Pero no fue así, era una movida mucho más grande.

—¿Qué puede ser más grande que eso? —pregunta Junior, que todavía no entiende hacia dónde quiere llegar su amiga.

—Es que no se trata de una competencia entre petroleras —le explica—. Quieren cambiar todo el sistema energético del país. La licitación se suspendió para darle tiempo a una nueva ley que se acaba de presentar en el Congreso. Es una ley del parque energético que pretende acelerar los tiempos de la transformación hacia energía sustentable. Todos sabíamos que esto sucedería en algún momento, pero requiere de muchos años para crear la infraestructura necesaria. Al acelerar los tiempos, aparece una sola empresa capaz de abastecer al estado.

—La empresa de Dust —deduce Junior y recuerda entonces lo que le dijo la mujer de Dust hace rato acerca de la ley que lo convertiría en la persona más rica del país.

—Exacto. La empresa de Dust lograría un monopolio de energía, ya que se quiere reemplazar a los combustibles fósiles por energía eléctrica, y no cualquier energía, sino, específicamente por energía solar. De hecho, quieren reformular el sistema eléctrico, argumentan que el mantenimiento de las centrales hidroeléctricas es muy costoso y que, por el contrario, el sistema de energía solar es mucho más económico y de implementación casi inmediata. Incluso me llegaron rumores de que el estado de Arizona ya tiene acordado con la empresa de Dust un contrato multimillonario. Solo esperan que se sancione esta ley para llevarlo adelante.

—Mi equipo encontró un enorme depósito en Arizona con la maquinaria de Dust —le cuenta Junior mientras comienza a tener una visión más clara del panorama—. Ya tienen todo preparado.

—Sí, Junior —confirma la diputada—. Creo que los estados con grandes desiertos son quienes encabezarán esta transformación. En teoría, tienen la capacidad para abastecer a todo el país con energía solar gracias a sus características climáticas.

—Todo el sistema energético de Estados Unidos estaría manejado por una sola persona —dice Junior pensativo—, y la riqueza del país cambiaría de manos.

—Estás cerca de comprenderlo, Junior —lo interrumpe la diputada—, pero aún no lo terminas de entender. No es una persona, Dust es apenas un títere, es el Anillo quien controla todo. Y no pienses que el dinero cambiará de manos con tanta facilidad. ¿Crees que los petroleros de Texas o Luisiana se quedarán de manos cruzadas?

—¿Qué quieres decir? —pregunta Junior.

—Mira, Junior —intenta explicar la diputada—. Cómo te dije antes, todos sabíamos que esto pasaría en algún momento, pero se calculaba para al menos dentro de veinte años. Ese sería tiempo suficiente para que los magnates desinviertan y liquiden sus estructuras para invertir en energías alternativas. Al plantearse este cambio para el año que viene, se le estaría dando un golpe a la estructura económica del país. A nadie le gusta que lo traicionen y le metan las manos en el bolsillo. Esto generará una reacción, probablemente armada, por parte de quienes manejan el dinero en la actualidad.

—¿Armada?

—Sí, Junior —afirma ella—. Ya hemos visto lo que es capaz de hacer el Anillo. La última vez incitaron la revuelta supremacista, ahora van por este lado. El objetivo del Anillo es generar el caos, justificar la suspensión de los derechos individuales y transformar al país en un estado autoritario expansionista. No les importa quién se pelea con quién, solo les interesa que haya pelea.

—Pero entonces, el tráfico de armas… —dice Junior, reflexionando—. Si el Anillo pasa a dominar la situación, ¿para qué quiere las armas? A no ser que…

—Sí, Junior —repite la diputada al darse cuenta de que su amigo al fin comprende el juego—. Son ellos mismos los que les venden las armas a sus supuestos enemigos, solo les importa el caos.

—Pero Dust es importante para ellos —dice Junior —. ¿Qué pasará con él ahora?

—Al Anillo solo le importa el Anillo y sus líderes ocultos —lo corrige la diputada—. Los demás son todas figuritas intercambiables que se pueden desechar en cualquier momento. Dust ya cumplió con su parte y cometió varios errores que no se pueden reparar, es un hombre muerto.

33

NADIE TRAICIONA AL ANILLO

Algún lugar de Los Ángeles, California
Jueves, 28 de julio, 4:10 p. m.

Los paramédicos asisten a Alain en el suelo. Para ver lo que estaba sucediendo, Alain necesitó fingir que recuperaba la consciencia. Sin embargo, para continuar con la actuación, no para de quejarse de dolores en todo el cuerpo. Mientras uno de los paramédicos le sostiene la cabeza, el otro le coloca un cuello ortopédico para inmovilizar la zona superior de su columna vertebral. Una vez que el cuello está colocado, acercan una camilla con las ruedas plegadas al lado derecho de Alain. Entre los dos paramédicos lo levantan y lo suben a la camilla. Luego la elevan, desplegando sus patas y la empujan hasta la ambulancia. La camilla se introduce en el vehículo y Alain mira a su alrededor.

Recién entonces comprueba que el agente Smith no

se encuentra allí. Lo había estado buscando de reojo mientras se quejaba de los supuestos dolores, pero no había alcanzado a verlo. Ahora, desde arriba de la ambulancia, ya no tiene dudas, Smith no está. Tampoco puede ver al oficial de policía ni al patrullero. Hasta entonces, había mantenido su actuación porque estaba recostado delante del vehículo de Smith, lo que suponía que el agente aún seguía allí. Sin embargo, en el momento que comprende que el agente ha desaparecido, ya no tiene sentido continuar actuando.

Alain se endereza, sentándose en la camilla.

—No se mueva, por favor —le pide el paramédico, pero Alain no le presta atención. Sigue mirando alrededor y piensa en lo que debe hacer.

—Gracias —le responde mientras se levanta de la camilla y salta de la ambulancia.

El paramédico levanta la mano como queriendo detenerlo, pero no llega a decir nada, está sorprendido. Los curiosos que estaban pululando por allí y habían visto todo, abren paso para dejarlo pasar. Alain, con el cuello ortopédico puesto, se escapa corriendo.

Penitenciaría, Los Ángeles, California
Jueves, 28 de julio, 4:20 p. m.

Dos guardias llegan a la entrada de insumos para la cocina. Kim sigue metiendo cajas al escáner como si nada. No tiene ni idea de lo que debe hacer. Hace varios minutos que escucha sonar la alarma y teme lo peor, pero seguiría esperando. Confía en la capacidad de Ainara para resolver cualquier situación. Lo único que la puede sacar de su puesto es que la policía la atrape.

—¡Alto ahí! —Escucha una voz que interrumpe sus pensamientos—. Dese vuelta con las manos en alto.

Kim deja caer la bolsa con paquetes de harina al suelo y, al estallar varias de ellas, una nube blanca comienza a levantarse. Ella se da vuelta despacio y ve a dos guardias. Uno de ellos la apunta con una pistola.

—Camine hacia aquí —dice el guardia del arma y ella se aleja del escáner, esparciendo aún más harina por el suelo. Camina hacia la parte delantera del camión.

Los dos guardias se acercan a la parte trasera del vehículo y con sus movimientos levantan aún más polvo blanco. Uno se mete dentro del camión e inspecciona lo que hay allí, mientras el otro le sigue apuntando.

—Aquí no hay nada —afirma quien está en el camión y luego salta al suelo, cayendo sobre otro paquete de harina que también estalla. Se para junto a su compañero.

—¿Dónde están los guardias que deberían estar aquí? —pregunta el de la pistola y luego tose un poco por la harina que hay en el aire. Kim se da cuenta de que todavía no han advertido que sus compañeros están esposados y amordazados en el suelo de la oficina.

—Ellos salieron corriendo cuando sonó la alarma —miente Kim tratando de ganar tiempo, tal vez Ainara la sorprenda saliendo de un momento a otro—. Me dijeron que siga haciendo lo mío y se fueron.

—¿Y tú compañero? —pregunta el guardia que mira la cabina del camión y no ve a nadie—. Siempre son dos.

—Fue al baño —explica Kim al no saber qué otra cosa contestar. Los guardias se miran sin saber muy bien qué pensar. Es entonces que Kim ve emerger de entre la nube blanca un bulto enorme que cada vez se hace más grande. Dos manos gigantes sujetan a los guardias con rapidez de sus cabezas y las estrellan una contra otra. Estos caen al suelo pesadamente y otra vez se revuelve la nube blanca. Es entonces que un hombre grande da un paso adelante, saliendo del polvo, y Kim lo ve con claridad. Es el cocinero, que la mira sonriendo.

—Tu amiga me dijo que me pegarías un tiro en la frente —dice el hombre mostrando sus dientes torcidos—, pero creo que te salvé el pellejo.

—¿Qué sabes de Ainara? —pregunta Kim al descubrir que este hombre la ha reconocido. En eso ve que otros dos reos salen de entre la nube de harina, que comienza a descender. Revisan a los guardias y les quitan las armas.

—Solo sé que está armando un gran alboroto allí adentro —dice el gigante mientras camina hacia la puerta del camión y la abre—. Prometió que me sacaría, pero no sé si ella podrá salir, así que ya me voy. Puedes venir con nosotros si quieres.

Kim niega con la cabeza y mantiene su posición.

—¿Podrían esperar unos minutos más? —pregunta, sabiendo cuál será la respuesta.

—Lo siento, niña —dice el cocinero ya dentro del vehículo. Otro de los presos está al volante y el tercero se quedó en la parte trasera—. No sé lo que harás, pero en cualquier momento llegarán más guardias, suerte.

El camión arranca y se dirige hacia la salida. Kim se queda mirando como el vehículo se marcha y se pregunta en voz baja:

—¿Y ahora qué?

Al escuchar las palabras del hombre de la cicatriz, no entiendo nada. ¿Es posible que acaso Dust le haya hablado de mí? Lo miro a Dust, veo en él la misma cara de sorpresa que debo tener yo. Vuelvo a mirar al hombre de la cicatriz, desconcertada.

—Por tu gesto, creo que he acertado —me dice el tipo con soberbia—. «El Anillo» te estaba esperando.

—¿De qué estás hablando? —le pregunto y aferro el arma dentro de la chaqueta. Escucho de pronto el chapoteo de muchos pasos acercándose. Veo hacia atrás y apenas alcanzo a ver en las sombras entrecortadas de la luz parpadeante a un grupo de al menos diez personas con el reo que había desaparecido minutos antes. No se había perdido, fue a buscar refuerzos.

—Me dijeron que podías venir —explica el de la cicatriz, que continúa sonriendo—. En realidad, no sé quién será esta gente del Anillo. Pero apareció alguien de traje dentro de mi propia celda con un documento firmado por un juez que me otorgaba la libertad condicional. ¿Sabes lo que significa, luego de veinte años encerrado, que te ofrezcan salir?

—No hagas esto —le digo mientras saco mi arma y

le apunto a la cabeza—, puedes salir conmigo, ahora mismo.

—¿Salir contigo? —pregunta de forma irónica y lanza una carcajada—. ¿Para que me persiga la Policía y el Anillo?

Siento un movimiento detrás de mí y cuando giro con mi arma, dispuesta a disparar, veo que dos hombres han atrapado a Dust. Uno de ellos tiene una navaja improvisada hecha con un hierro afilado envuelto en una tela como mango.

—Suéltalo antes de que abra un hoyo en tu cabeza —le digo al que sostiene esa púa.

—Como te dije antes —continúa hablando el de la cicatriz a mi espalda, así que mientras apunto a un lado miro para el otro, lo veo que comienza a caminar a mi alrededor—, no sé qué es este Anillo, pero si pueden sacarme de la cárcel tan fácilmente, deben de tener más poder de lo que pueda imaginar. A cambio de salir, solo debo hacer dos cosas. La primera era esperar una semana para ver si te atrevías a venir. Pensé que era una tontería, que ninguna persona en su sano juicio, y menos una mujer, se atrevería a entrar a una cárcel para rescatar a un asesino de mujeres.

—Tal vez tengas razón —le digo mientras vuelvo a apuntarle—, puede que no esté en mi sano juicio. Eso es justamente lo que me hace tan peligrosa. Así que suelta a Dust y los dejaré vivir a todos.

—Creo que las cosas no pasarán de ese modo —me dice a la vez que sigue caminando hasta llegar a Dust—. ¿En serio cambiarás tu vida por la de este cerdo?

El hombre agarra la navaja que tenía su cómplice y la

apoya en el cuello de Dust. El resto de los reos se distribuyen a mi alrededor. Veo que tienen objetos contundentes en sus manos. Yo sigo apuntando el arma al líder y evaluando la situación. Veo que uno de los presos renguea de la pierna izquierda, otro tiene vendada una muñeca, uno que se me acerca más frunce los ojos como si le costara verme.

—Como te explicaba —continúa el de la cicatriz—, mi primera tarea era esperarte, atraparte y mantenerte con vida hasta que alguien del Anillo venga por ti. Así que, si arrojas tu arma, podría sacarle el cuchillo del cuello a tu amigo y vivirás hasta tener otra oportunidad.

Podría dispararle en la cabeza y luego enfrentarme al resto. Son muchos, pero con una bala extra y un poco de suerte, creo que podría con todos. Sin embargo, podrían matar a Dust y todo esto hubiera sido en vano. Lo importante ahora es ganar tiempo y mantenernos con vida, en cuanto se descuiden, haré mi jugada. Así que prefiero hacer caso. Le quito el cargador al arma, le saco las dos balas que le quedan y las arrojo lejos. Luego lanzo la pistola a la sombra en dirección opuesta. La escucho caer al agua.

—¡Oh! Ainara —dice apenado el de la cicatriz—. Esa arma me hubiera sido muy útil. Pero bueno, lo prometido es deuda y no te mataremos.

El hombre aparta el improvisado puñal del cuello de Dust y mi cuerpo se tensa, en cuanto lo tenga a alcance, le salto encima.

—Ah, me olvidaba —prosigue el hombre y advierto un cambio en su actitud que me pone aún más alerta—. Te había dicho que el Anillo me dio dos tareas. La primera ya la cumplí, te atrapé, así que tengo que realizar la segunda.

—¿Y cuál es esa segunda tarea? —pregunto, esperando que lo que estoy pensando no se cumpla.

—La segunda tarea era esta —dice el maldito mientras le ensarta el puñal en el cuello a Dust, una y dos veces, como si lo estuviera disfrutando. Luego le dice al ensangrentado, que lo observa sorprendido con sus últimas fuerzas—, me dijeron que te diera este mensaje, ya que no lo habías entendido, nadie traiciona al Anillo.

34

SÁQUENLA DE INMEDIATO

PENITENCIARÍA, Los Ángeles, California
Jueves, 28 de julio, 4:25 p. m.

CIERRO LOS OJOS y el tiempo parece detenerse. Por un instante pensé que Dust me había traicionado, que me había entregado al Anillo. Pero cuando noté que el hombre de la cicatriz cambiaba su actitud, intuí que solo le quedaban unos segundos de vida. El ver su sangre me confirmó que él no estaba en esto, que fue utilizado para atraparme. Ahora me encuentro dentro de una cárcel, rodeada por delincuentes que no tienen nada que perder y que son capaces de cualquier cosa para salir de prisión. Siento los pies mojados en este sótano abandonado y sucio. Ha sido todo inútil.

Abro los ojos y, con la luz parpadeando, miro a mi alrededor. Los veo acercarse y permanezco quieta. Es extraño, pero estoy calmada, relajada. Como si nada me importara. Me quito la capucha. Observo que, a mi derecha, el hombre que rengueaba se viene sobre mí con un palo en alto. Simplemente, levanto mi pie y lo bajo con fuerza en una patada lateral hacia su rodilla. Veo como suelta el palo y grita. El hombre con la venda en la muñeca se acerca a mi hombro izquierdo. La tomo con mi mano derecha y, haciendo palanca con mi mano izquierda en su codo, lo retuerzo hasta hacerlo girar sobre sí mismo. Lo arrojo contra otro de los que viene hacia mí. Veo al que le pateé la rodilla queriendo levantarse y le quito el palo que traía para darle un palazo en la cara a un cuarto reo que se acercaba. En el mismo movimiento, le doy con el palo a otro más, quien logra bloquearlo con el brazo derecho. Entonces, le doy un puñetazo en la sien que lo envía al suelo. Alguien me toma de atrás y me dejo caer, escurriéndome de entre sus brazos. Se me suelta el cabello, que hasta un momento mantenía recogido. Con una rodilla en el suelo, tomo la pierna derecha del reo y lo levanto en el aire, haciéndolo caer hacia atrás. Me paro de un salto y le doy un palazo a uno que viene de frente. Luego giro y le pego otro palazo a uno que se estaba levantando detrás de mí. Ya no sé quién es quién, solo golpeo a diestra y siniestra a medida que van llegando. Es entonces cuando reconozco al de la cicatriz, que se me acerca desde atrás con el burdo puñal en la mano derecha. Cuando me lanza un puntazo, me muevo hacia el costado, dejándolo pasar de largo. Giro y le doy un codazo en la nuca. El hombre se inclina hacia adelante y con la mano izquierda lo aferro de la muñeca. Se la fuerzo y la levanto, haciendo que su arma gire hacia él.

Lo arrastro para enfrentar a otro que se me venía encima y queda ensartado en el puñal de su compañero. Le doy un rodillazo en el brazo y escucho que su codo se quiebra. El grito del hombre de la cicatriz silencia el grito de aquel al que le clavo el cuchillo. Recién entonces advierto los sonidos que me rodean. Le quito el puñal del estómago y el cuerpo cae al suelo, salpicando agua. Los sonidos de chapoteo a mi alrededor aumentan y ahora, con el puñal, doy golpes en todas las direcciones. Escucho los cuerpos caer. Estoy mojada, el agua fría del suelo se mezcla con el fluido caliente de la sangre que comienza a cubrirme. Le doy con el fierro afilado en el rostro al que tengo más cerca y lo veo caer con lentitud. Entonces, recorro con la vista mi entorno y ya nadie se mueve, solo uno se levanta del suelo, agarrándose el brazo. Es el de la cicatriz. Camino hacia él con el puñal en la mano. Lo tomo del cabello, tiro de su cabeza hacia atrás y alzo el puñal.

—Arruinaste todo, idiota —le digo dispuesta a acabar con él—. Podríamos haber salido todos, pero tomaste una mala decisión y ahora lo pagarás.

Voy a clavarle el puñal, pero veo la luz de una linterna apuntándome. Siento un dolor punzante en la espalda y comienzo a temblar. Todo se oscurece.

—¡Debemos entrar ya! —le exige el agente López al jefe del servicio penitenciario.

Dos minutos antes, López había protestado por la inacción de los guardias, que se mantenían fuera de los pabellones viendo por los monitores lo que sucedía dentro.

—Esto no es casual —le explicaba López al director del presidio—, tiene que ver con Dust.

El jefe del servicio subestimaba la teoría del agente del FBI, pero cuando vieron en el monitor que Dust era llevado por otros reos a una zona clausurada del presidio, comprendió que el agente podía estar en lo cierto. Fue entonces que organizó rápidamente la incursión.

El director dio la orden. Un equipo de diez guardias armados ingresó al interior de la cárcel. El agente López también quería entrar, pero no se lo permitieron. Debió quedarse afuera y ver la acción por las pantallas.

El escuadrón ingresó con escudos, empujando a los reos que se les iban encima. Mantenían sus armas en las fundas y repartían palazos a todo el que se atreviera a acercarse demasiado. Atravesaron el primer pabellón y pidieron por el intercomunicador que abrieran la puerta que daba al siguiente. Llegaron entonces al pabellón de Dust, que fue donde se inició el motín. Apenas entraron, volvieron a cerrar la puerta que divide los dos pabellones y tiraron abajo la puerta que daba al sótano. Tres guardias se quedaron custodiando esa puerta y el resto bajó. Con sus linternas alumbrando el camino, descendieron y avanzaron por los pasillos inundados. El que va adelante es el que más tiempo lleva trabajando en el lugar y conoce muy bien ese sótano.

Los guardias ven al fin movimientos y se detienen. El capitán del escuadrón se sorprende al ver a una mujer de cabello rubio parada en medio de una docena de hombres tendidos en el suelo. Es Ainara, pero ellos no la conocen. La ven alzar un puñal mientras sostiene a un reo del cabello. El capitán da una señal y uno de sus subordinados se adelanta, apuntando con una táser. Dispara y el impacto da de pleno en la espalda de la mujer. Ella tiembla y cae al suelo, inconsciente.

El capitán camina hasta donde se encuentra Ainara y mira alrededor.

—¿Qué demonios pasó aquí? —pregunta el hombre mientras le hace señas a dos de sus subordinados para que carguen a Ainara—. Revisen a esos hombres, quiero saber si siguen con vida.

Siguen sus órdenes y verifican el estado de los reos uno por uno. Tres hombres, incluido Dust, están muertos. El resto siguen vivos, malheridos pero vivos.

—¡Maldición! —exclama el capitán y toma entonces su intercomunicador. Llama al director del servicio penitenciario—. Tenemos una situación aquí, hay muchos heridos y muertos. Dust murió. Necesitamos refuerzos y médicos. Capturamos a un intruso, quien era el único que se mantenía en pie. Es una mujer.

—¿Una mujer? —repregunta el director, incrédulo —. Sáquenla de inmediato.

35

AINARA PERMANECE CON LOS OJOS CERRADOS

Penitenciaría, Los Ángeles, California
Jueves, 28 de julio, 4:25 p. m.

Kim vio marcharse al camión y pensó que allí iba su única oportunidad de escapar. Sabe que la cámara registró lo sucedido, por lo que más guardias llegarán enseguida. Si se queda allí, no tendrá ninguna oportunidad. Debe pensar rápido.

Entonces, se acerca a uno de los guardias inconscientes, al que tenía contextura más pequeña. Lo arrastra fuera del alcance de la cámara. Le quita la ropa y se la pone. Se sacude un poco la harina y saca su teléfono. Llama a Andrew.

—Andrew —dice Kim—, voy a entrar en busca de Ainara. Si no salió hasta ahora, es porque debe de estar en problemas.

—¿Estás segura? —pregunta Andrew preocupado—. ¿Cómo puedo ayudar?

—No sé con lo que me encontraré adentro —dice Kim mientras mira a su alrededor—, pero cuanta más confusión haya, más posibilidades tendremos.

—Haré lo que pueda —responde Andrew y terminan la comunicación.

Kim va a ir hacia el escáner, pero se detiene. Vuelve atrás y arrastra al otro guardia que estaba en el suelo. También le saca la ropa. La dobla, haciendo un bulto, y la lleva consigo. La cuelga de su cinturón. Recién entonces se introduce dentro de la máquina, que sigue funcionando como si no hubiera pasado nada. Al llegar a la salida de la cinta transportadora, se topa con las cajas y bolsas de alimentos desparramadas en el suelo. Ve la puerta abierta, trabada con un cajón de frutas, y la atraviesa. Entra a la cocina y no hay nadie. La cruza y sale al comedor. Allí se encuentra con dos reos que rompen una mesa para utilizar sus patas como armas. Ella se detiene y los presos la ven.

Kim no duda y camina hacia ellos. Los hombres, luego del primer vistazo, en el que solo reconocen a un guardia, advierten que es una mujer y no comprenden qué hace allí.

—¿Qué miran, estúpidos? —dice Kim con firmeza y sin detenerse—. Allá atrás tienen una máquina por la que pueden salir al exterior. Apúrense antes de que lleguen los verdaderos guardias.

Los reos se la quedan mirando y luego se miran entre ellos.

—¡No pierdan tiempo! —insiste Kim—. Corran.

Los reos reaccionan y se van con toda la velocidad que pueden imprimirle a sus piernas hacia la cocina. Kim alcanza a ver la puerta que da al patio. Está abierta y observa que pasa gente corriendo y gritando, arengando para hacer crecer la revuelta.

—Bueno —se dice Kim a sí misma y mira en su móvil el plano de la prisión—. Espero que Andrew pueda hacer algo.

Búnker de Andrew, Nueva York
Jueves, 28 de julio, 4:30 p. m.

—Por fin estoy adentro —dice Andrew mientras mira en la pantalla un *collage* de imágenes. Son todas las cámaras de la penitenciaría. Logró acceder al ordenador central del presidio y puede entrar a todos los sistemas. Ahora tiene en primer plano las cámaras. Desde ayer está intentando ingresar, era la idea original. De esa manera, iba a poder apoyar a sus compañeros, podría cubrirlos y ayudarlos a encontrar a Dust. Sin embargo, el sistema estaba mejor protegido de lo que esperaba y recién hoy pudo hackearlo. Ahora intenta comprender todo lo que ve.

—Bien —dice mientras se organiza—, ya tengo el sistema de cámaras, ahora verán lo que yo quiera.

Entra a los archivos y revisa dónde aparece Ainara. Luego genera un bucle, una repetición de lo sucedido frente a todas las cámaras en las que no se vea a su amiga. Ahora, en el centro de control de la penitenciaría, la policía ve, por ejemplo, a Kim cargando mercancía en el escáner, mientras que, en realidad, Andrew la vio ingresar por el aparato hace apenas dos minutos.

—Así está bien.

Está satisfecho con las cámaras, ahora las autoridades no sabrán lo que sucede adentro. El siguiente paso es la confusión que le pidió Kim. Ve en la cámara de los pabellones que las celdas están cerradas. Supone que deben cerrarse automáticamente por alguna aplicación, así que comienza a buscarla.

—Debo controlar las celdas.

Penitenciaría, Los Ángeles, California
Jueves, 28 de julio, 4:30 p. m.

El capitán del escuadrón que ingresó al sótano sube hasta el final de la escalera en la planta baja. Se escuchan gritos y golpes. Los tres hombres que dejó allí apostados están con sus escudos y palos para repeler los ataques de los reclusos.

Luego de revisar todos los cuerpos desparramados por Ainara y encontrar a Dust sin vida, que era a quien habían venido a buscar, decidió que no tenía sentido cargar con el cuerpo hasta arriba en este momento, más cuando ya debían llevar a la mujer inconsciente.

—Cuando lleguen los refuerzos, se encargarán de

Dust y de los otros —le dijo a uno de sus hombres cuando le preguntó qué hacer.

Por el momento, dejó a dos de sus hombres en el sótano, asistiendo a los heridos, por lo que son cinco quienes ahora van a salir al pabellón para sacar a Ainara del lugar.

El capitán y sus subordinados salen de nuevo a la luz y se encuentran con un panorama bastante tranquilo. Los gritos que escuchaban son los de los reos que quedaron dentro de sus celdas, que por fortuna fueron la mayoría. La puerta del fondo que separa el pabellón del pasillo ha sido tirada abajo. Son más los reos que se fueron hacia el patio que los que quedaron allí.

—Al principio, vinieron a atacarnos —le explica a su capitán uno de los guardias que esperó frente a la puerta —. Pero ahora solo viene alguno perdido de vez en cuando, y es sencillo de manejar. El problema está en otro lado.

El capitán asiente y respira relajado, tienen el paso despejado para llegar a la salida. Luego, cuando estén afuera, verá qué está sucediendo en ese «otro lado».

Es así que el capitán camina por delante, los dos hombres que cargan a Ainara, detrás de él, y los otros dos van cerrando el paso. Cuando va a abrir la puerta para pasar al primer pabellón, se escucha un ruido metálico y las celdas se abren. Los reclusos comienzan a salir gritando. El capitán mira por la ventana de la puerta que da al pabellón al que se dirigían y ve lo mismo. Se da cuenta de que no podrá salir cargando a Ainara. Son demasiados los reos que se han liberado y no sabe si podrá con ellos. Ve la celda más cercana.

—Métanla ahí, rápido —le indica a sus hombres y estos llevan el cuerpo inconsciente de Ainara dentro de la celda. Deben apurarse porque ya sus compañeros empiezan a frenar los embates de los reos—. Pónganla en la cama y cúbranla, no quiero que estos salvajes vean que hay una mujer aquí.

Después de que se cumplen sus órdenes, él se apura a cerrar la celda manualmente con la palanca a un costado de la puerta. La calma se terminó, muchos reclusos van hacia ellos y comienzan a repartir palazos para abrirse paso. Los refuerzos no llegan aún, así que deben salir de allí cuanto antes. Ainara permanece cubierta en el catre dentro de la celda, sus ojos siguen cerrados.

36

SU OBJETIVO ES AINARA

CÁRCEL, Los Ángeles, California
Jueves, 28 de julio, 4:35 p. m.

ANDREW PUEDE VER en las cámaras como encierran a Ainara. Piensa que haber abierto las celdas fue una buena medida para crear la confusión que le pidió Kim. Gracias a eso los guardias dejaron sola a Ainara, es quizás su última oportunidad de escapar. Al encerrarla manualmente, se activó la cerradura electrónica, por lo que desde el pabellón no se puede acceder a ella, pero Andrew sigue manteniendo el control a distancia y podrá liberarla cuando quiera. De inmediato, llama a Kim.

—Ainara está inconsciente en una celda, Kim —dice Andrew mientras mira sus pantallas y verifica el plano—. Está, casualmente, en la celda de Dust, pero de él no hay señales. Revisé los videos y lo vi bajar al sótano con Ainara y otros reos, pero él nunca volvió a salir. La encontrarás en la primera celda de la línea, al lado de la puerta que da al primer pabellón.

—Comprendido —responde Kim, quien manda a cada preso que se le interpone hacia la cocina con la promesa de escape—. Necesito más distracción, algo en la entrada de la prisión de ser posible.

Kim corta y Andrew mueve la cabeza.

—Sí, claro —se dice Andrew a sí mismo—, como si pudiera organizar una manifestación en la puerta.

Entonces, se detiene y se queda pensando.

—Tal vez —dice y comienza a buscar algo en su móvil. Encuentra el contacto que necesita. Es el de una periodista de policiales que trabaja en la cadena de TV más importante de Los Ángeles. Había conseguido ese número porque parte del plan era, una vez que sacaran a Dust, dar la información al público a través de los medios. Freddie y Andrew habían buscado un periodista que no estuviera comprado por el Anillo. Así llegaron a esta mujer que parecía estar limpia.

—Señorita Ross —dice Andrew—, usted no me conoce, pero tengo información importante. Hay un motín en la cárcel y está relacionado con Evan Dust, el estrangulador de mujeres que atraparon hace unos días.

—Un momento —dice la periodista—. ¿Quién habla?

—Eso no importa, señorita Ross —le responde Andrew mientras mira en las cámaras del presidio lo que sucede en el perímetro—. Esto está sucediendo ahora y puede ser la primera en reportarlo. Un camión derribó la puerta de ingreso a la prisión y varios presos escaparon, puede haber gente muerta.

Andrew termina la comunicación y mira sorprendido lo que está pasando en la entrada del recinto.

El patrullero llegó a la entrada de la prisión. Se detuvo frente a la puerta y el agente Smith bajó del coche. El oficial de policía que lo condujo hasta allí suspiró aliviado. Ya se había sacado de encima a ese hombre del FBI y ahora podría volver a su trabajo. Solo restaría recibir el reproche de sus superiores por haber accedido a las órdenes del FBI sin pedir permiso. Durante el viaje hasta la penitenciaría, que tardó apenas unos minutos, dio aviso a la seccional de lo que estaba haciendo. Pero ya a punto de apoyar la mano en su radio para avisar de que ya estaba libre de nuevo, un movimiento tras las rejas le llama la atención.

El camión que trajo los suministros de cocina comenzó a acercarse. Primero lo hizo a una velocidad normal, pero cuando el guardia de seguridad salió de su casilla para recibirlo, el camión aceleró. Es entonces cuando el guardia intentó sacar su arma, pero no tuvo tiempo, debió arrojarse a un costado para que el camión no lo atropelle. El camión embistió la puerta. El alambrado y los fierros que lo sostenían estallaron y la puerta voló. El agente Smith se tiró al suelo a un costado de la salida para no ser atropellado.

El oficial en la patrulla vio venir al camión y empezó a dar marcha atrás, pero no fue lo bastante rápido. El camión lo chocó de frente, haciéndolo volar hacia atrás. El camión apenas se sacudió y continuó su fuga sin detenerse. Se oyen disparos. De las torres disparan con rifles al camión. Los tiros lo impactan, pero no son suficientes para detenerlo.

El oficial en el patrullero tarda unos segundos en reaccionar, pero no recibió ningún golpe grave, así que al final logra recomponerse. Se toma el cuello y mueve la cabeza para comprobar que todo está en orden. Coge luego la radio para llamar al Departamento de Policía.

—Estoy en la entrada de la penitenciaría —explica el oficial—. Necesito apoyo, fui embestido por un camión que se dio a la fuga. Escapó de la prisión, aparentemente, hay un motín.

—Repita, móvil cinco —piden desde la seccional al escuchar el informe del oficial. Lo que acaban de escuchar es demasiado grave y necesitan confirmación.

El oficial repite y desde la seccional le indican que se quede en el lugar esperando instrucciones.

Mientras tanto, Smith se pone de pie.

—¡Diablos! —exclama y agarra su móvil. Busca el número del agente López y lo llama.

—¿Qué diablos está sucediendo, López? —pregunta Smith furioso—. No me digas que en el camión que acaba de salir estaba Dust.

—No, jefe —responde López con seriedad—. Dust ha muerto.

—¿Cómo? —pregunta Smith sorprendido.

—Sí, jefe —confirma López en el mismo tono de antes—. Por las cámaras se vio que otros reos lo llevaban a un sótano abandonado. Cuando una partida de guardias entró a buscarlo, se encontró con una matanza. Dust y otros dos hombres, muertos, y varios heridos.

—¿Qué fue lo que pasó? —insiste Smith, que no puede creer lo que está sucediendo. Si no hubiera tenido ese accidente, hubiera llegado más temprano y Dust seguiría con vida.

—Atraparon a un intruso que no pertenece al presidio —explica López—, creen que esta persona fue la responsable.

—¿Saben quién es ese intruso? —pregunta Smith mientras vuelve a escuchar disparos y levanta la mirada para ver qué está sucediendo. Ve que un grupo de alrededor de veinte presos viene corriendo hacia la entrada. Desde las torres disparan y algunos presos comienzan a caer.

—No saben quién es, jefe —continúa explicando López—. Pero es una mujer y ha quedado recluida en una celda.

Smith deja de interesarse en los disparos y la fuga.

—Ainara Pons —dice en voz baja y comienza a caminar de nuevo hacia la puerta. Saca su placa y se la muestra a uno de los guardias, quien, al verlo, le había apuntado con su arma. Cuando ve la placa, baja su arma y vuelve a ocuparse de los reos que vienen hacia él. Empieza a disparar, pero ya los tiene encima. Le da a uno, pero otros dos se le abalanzan y le quitan la pistola.

Smith saca su arma y atraviesa la puerta, pero ni se fija en los fugitivos. Uno intenta atacarlo, no obstante, Smith le da un golpe con la pistola en la cara y sigue caminando como si nada. Ahora tiene una sola cosa en mente. Su objetivo es Ainara.

37

¡LEVÁNTATE, AINARA!

Penitenciaría, Los Ángeles, California
Jueves, 28 de julio, 4:40 p. m.

El agente Smith llegó a la puerta interna del presidio y debió esperar a que le abran. Cuando lo hicieron, tuvo que apartarse para dejar pasar a un pelotón de guardias que se dirigía a la puerta externa por la que estaban escapando los presos. Luego se encontró con López, esperándolo al otro lado, y entró. Mientras caminaban hasta la oficina del director del servicio penitenciario, el agente López lo puso al tanto de la situación. No había cambiado mucho desde la última vez que hablaron hace unos minutos, salvo que los guardias que entraron para buscar a Dust, debieron salir porque no podían controlar a los reos. En unos instantes volverán a entrar en mayor número y armados con pistolas Taser para terminar con el motín.

Cuando llegan a la oficina, Smith observa la situación sin decir nada. El hombre a cargo ni siquiera lo mira.

—Esto está mal —dice el jefe del sitio, viendo los monitores—. Alguien nos hackeó, estas imágenes se repiten. Hay que entrar.

—Mire, jefe —dice otro guardia, señalando el monitor de la entrada—. Llegó la prensa.

—¿Cómo diablos llegaron tan rápido? —dice el hombre, fastidiado—. Que no disparen más de las torres, envíen más gente a la puerta para evitar que escapen. ¡Y que de Sistemas vean lo que pasa con las cámaras!

—¿Entramos, jefe? —pregunta el segundo al mando, que ya había agarrado un rifle.

—Ahora no podemos —responde el director analizando la situación—. Hay que detener a los que están en el perímetro. Pero hay que hacerlo de tal forma que la prensa no nos crucifique. Hay que mandar a todos para allá. ¿Por dónde demonios están saliendo?

—Por la cocina, jefe —le contesta.

—¿Por qué no cerraron eso aún? —pregunta el hombre cada vez más enfadado.

—Mandamos ya dos brigadas, pero no nos responden —le explica el segundo al mando.

—Iré yo mismo —dice el director y comienza a caminar hacia la salida. Smith recién entonces irrumpe en la escena y se le interpone en el camino.

—Soy el agente Smith, jefe de operaciones del FBI —se presenta—. Tengo que entrar para interrogar a la mujer que atraparon.

—Ahora no tengo tiempo para eso —dice el director y lo esquiva.

—Supongo que quiere saber lo que pasó —dice Smith levantando el tono de voz—, va a tener que decirle algo a la prensa. Yo le puedo conseguir esa información.

—No tengo suficiente gente ahora —responde el hombre sin mirarlo, pero deteniéndose antes de salir, como dudando de lo que debe de hacer.

—Solo necesito un guardia para que me guíe —insiste Smith—, nada más.

—Que alguien lo acompañe —le dice el director a su segundo y luego mira a Smith—. Pero entra bajo su responsabilidad.

CÁRCEL, Los Ángeles, California
Jueves, 28 de julio, 4:40 p. m.

ABRO los ojos y me sobresalto. Con las manos, quito algo que me está cubriendo la cara. Es una tela. Respiro mejor y comienzo a mirar a mi alrededor. Creo que estoy en una celda. Me siento en el catre y estudio mejor mi entorno. Sí, estoy en una celda.

—¿Qué me pasó? —pregunto en voz alta como si alguien me pudiera responder, pero en realidad estoy tratando de recordar lo sucedido. Me acuerdo de haber derribado a todos esos malditos en el sótano, y que estuve a punto de acabar con el que mató a Dust, pero hasta allí llega mi memoria. De repente, me llega el recuerdo de un dolor en la espalda y me invade una horrible sensación.

—Una táser.

Debe haber sido eso. Dudo que los reos tuvieran una de esas armas, así que me deben de haber atrapado los guardias del exterior. No comprendo por qué me dejaron aquí, no tiene sentido. Me levanto y me acerco a la puerta de la celda. Intento abrirla, pero es imposible, está cerrada. Llevo las manos a la cintura y bajo la cabeza. No sé qué hacer. Todo salió mal. No pude sacar a Dust y lo mataron, por lo que cualquier posibilidad de llegar al Anillo desapareció con él. Por si esto fuera poco, me han capturado y dudo que pueda salir. Espero que al menos Kim haya podido huir, pero no sé qué pensar, como viene saliendo todo, lo más probable es que ella también haya sido atrapada.

No veo a nadie, ni dentro ni fuera de la celda. Así que me acerco a la reja y apoyo el rostro contra los barrotes. Alcanzo a ver de reojo que alguien se acerca. No logro verlo bien, pero me doy cuenta de que es un guardia del servicio penitenciario. Doy un paso atrás. Vuelvo a mirar a mi alrededor. Si este guardia viene por mí, mi única chance de escapar es tomarlo por sorpresa. Así que evalúo la situación, y solo puedo volver al catre y hacerme la dormida. Lo sorprenderé cuando entre.

CÁRCEL, Los Ángeles, California

Jueves, 28 de julio, 4:45 p. m.

. . .

Smith sigue al guardia hasta la entrada del primer pabellón. Los dos hombres que custodian la entrada abren la puerta y Smith entra con su acompañante. Para su sorpresa, ya no hay nadie allí. Entran caminando sin ningún problema. Smith sigue a su guía de cerca mientras observa las celdas vacías. Él se había enterado del sistema de autogestión de los reclusos cuando planeó visitar a Dust. Pensó entonces que era una locura y que eso terminaría mal. Ahora comprueba su suposición, todo ha terminado mal. Atraviesan el lugar y llegan a la entrada que los separa del siguiente pabellón. La puerta está abierta de par en par. Al cruzarla, van directo a la primera celda. Smith ve que una de las camas está ocupada. Llegó el momento. A Smith nunca le importó Dust, su único interés radicaba en que podría acercarlo a Ainara. Ahora por fin la han atrapado, así que lo que pase con el motín le tiene sin cuidado.

—Allí estás —dice Smith al ver el cuerpo de Ainara cubierto por una manta, como le había adelantado López. Luego le indica al guardia—. Abre la celda.

El guardia asiente con la cabeza y abre la puerta con una llave capaz de abrir la cerradura eléctrica de todas las celdas. Smith apunta su arma hacia la cama. Se aproxima con cuidado. Conoce los antecedentes de Ainara, y el único encuentro que tuvo con ella le demostró que la mujer era capaz de cualquier cosa.

—¡Levántate, Ainara! —dice Smith acercándose—. Esta vez no tienes a dónde ir. Es el momento de que abandones tu soberbia. Nadie está por encima de la ley, así que no te resistas. No me trago ese cuento de la justiciera, eres una peligrosa delincuente y recibirás el trato que mereces. Levántate despacio.

Smith ve que Ainara no responde y piensa que aún sigue inconsciente. Entonces, se acerca un poco más. Mientras que con la mano derecha sostiene su arma, con la izquierda toma la manta que la cubre. La quita de un tirón.

—¡Mierda! —grita Smith al ver a un desconocido en el lugar de Ainara. Es un hombre.

38

NO PREGUNTES

Cárcel, Los Ángeles, California
Jueves, 28 de julio, 4:45 p. m.

Kim encaró hacia el patio. Se encontró con corridas y gritos. De inmediato fue advertida por los reos, quienes al ver su uniforme, se pusieron a la defensiva. Ella tuvo que tomar una decisión urgente. ¿Intentaría pasar desapercibida o comenzaría a hacer mucho ruido? No había término medio. Se dio cuenta de que no tenía chance de pasar desapercibida, así que optó por lo segundo. Se llevó los dedos a la boca y chifló lo más fuerte que pudo.

—Oigan todos —dijo en voz alta y con autoridad—. El que quiera salir de esta pocilga, debe ir hacia la cocina. Hay un hueco por el que ya varios de sus compañeros salieron. No hay mucho tiempo, salen ahora o se quedan acá a pagar las consecuencias de este motín.

Kim hizo silencio y comenzó a caminar. Los presos

reaccionaron sin perder tiempo y corrieron hacia la cocina. Ella atravesó el patio, viendo como su improvisado plan estaba funcionando. En primer lugar, logró abrirse camino, ese era su principal objetivo. En segundo lugar, la fuga generalizada podría ayudarla a salir de ahí con Ainara. Pero eso aún estaba lejos, primero debía encontrar a su amiga y ver en qué condiciones se hallaba.

Llegó hasta el pabellón y varios reos la cruzaron, los que apenas la miraron como si fuera algo curioso. Se corrió la voz de que había una forma de salir y ningún preso veía otra cosa que la oportunidad de escapar. Kim buscó la celda que le indicó Andrew. Estaba marcada en el plano que tenía en el móvil. Se dirigió hacia allí y vio que la puerta estaba cerrada. Se detuvo frente a la celda y observó que alguien estaba en un catre, cubierto por una manta.

—Ainara, ¿eres tú? —dijo Kim.

Al instante, hubo un movimiento brusco y Ainara se enderezó, quitándose el cobertor. Saltó del catre y corrió hacia la reja. Al llegar, se aferró a los barrotes. Kim se acercó y le tomó las manos.

—Estás aquí —dijo Ainara, y esas palabras, que podrían resultar una obviedad, encerraban un cúmulo de emociones. Por un lado, estaba la alegría de ver un rostro amigo, por el otro, la preocupación por Kim, que podría terminar muy mal por haberse arriesgado tanto. A su vez, se sentía agradecida, pero culpable. Es decir, las emociones la habían embargado. Sin embargo, no era el momento para ponerse sensiblera, era momento de actuar, y eso era lo mejor que sabía hacer.

—¿Cómo abrimos esto? —preguntó Ainara mirando

los barrotes, tratando de encontrar una forma de abrir la cerradura eléctrica.

Kim levantó un dedo, como pidiendo un minuto, y escribió un mensaje en el móvil. Luego levantó la mirada hacia Ainara y sonrió. Se escuchó un sonido eléctrico y la reja se destrabó, abriéndose por completo.

—Gracias, Andrew —dijo Kim acercando el móvil a su boca.

Ainara salió y se abrazaron como si hiciera años que no se veían. Enseguida, Kim la alejó de su cuerpo.

—No tenemos tiempo, amiga —explicó Kim mientras sacaba el bulto de ropa que había amarrado a su cinturón—. Ponte esto.

Mientras Ainara sacudía la ropa que Kim le acababa de dar porque estaba llena de harina, Kim inspeccionó los alrededores.

—¿Qué pasó con Dust? —preguntó intrigada.

—Está muerto —respondió Ainara—, no tenemos nada.

—¡Maldición! —exclamó Kim—. Esta era su celda.

Ainara escuchó lo que dijo su amiga cuando acababa de cambiarse y se detuvo un momento para pensar. Se volvió hacia la celda y comenzó a revisarla.

—Date prisa, Ainara —la apuró Kim mientras vigilaba. Vio que en el suelo, a un lado de la celda, había un hombre inconsciente, era uno de los reos que oficiaba de guardia y al que sus compañeros le dieron una paliza. Kim se le acercó y se agachó sobre él. Comenzó a arrastrarlo dentro de la celda.

Ainara, que seguía ocupada revolviendo el lugar, halló un sobre con papeles debajo de uno de los colchones. Eran escritos de Dust, los reconoció porque había dos cartas a su esposa.

—Ayúdame, Ainara —le pidió Kim cuando trataba de subir el cuerpo del hombre al catre.

Ainara guardó el sobre dentro de su camisa y la ayudó a Kim. Una vez que el hombre estuvo en el catre, Ainara lo cubrió con la manta y salieron de la celda.

—Espera —dijo Ainara y manipuló una palanca, cerrando nuevamente la puerta—. Vamos.

Las dos comenzaron a correr y abandonaron el pabellón, yendo hacia la cocina. A Ainara le llamó la atención no ver a ningún reo.

—¿Dónde están todos? —preguntó Ainara, extrañada.

—Ya los verás —respondió Kim.

Cuando salimos por el hueco del escáner, veo dos hombres desnudos en el suelo cubiertos de harina y comprendo dónde obtuvo Kim la ropa que llevo puesta. Esperaba encontrar el camión listo para salir, pero ya no está.

—¿Y el camión? —le pregunto a Kim sin comprender de qué manera saldremos de aquí.

—Cambio de planes —me responde ella dirigiéndose a la salida—, habrá que irse a pie.

Recién entonces empiezo a escuchar los gritos. Me asomo fuera de la entrada para los camiones y veo el tumulto en la reja perimetral. Hay un enfrentamiento entre los reos y los guardias. La miro a Kim y me miro a mí misma, estamos vestidas como guardias. Ella entiende lo que estoy pensando y asiente con la cabeza. Salimos corriendo hacia la riña. Mientras nos alejamos de allí, observo que un grupo de guardias llega para cerrar el escáner, lo cruzamos justo a tiempo. Tras el alambrado que nos separa de la calle, hay cámaras y periodistas, así como patrulleros que vienen llegando para atrapar a los hombres que logran salir. Es todo un espectáculo.

—Quédate detrás de mí —le digo a Kim cuando llegamos.

Comienzo a empujar a los presos para hacernos camino hacia la salida. Uno intenta golpearme con un palo, pero lo esquivo y, tomando el palo con una mano, lo pateo en los testículos. Luego le quito el palo y le doy con este en la cabeza. Otro reo se va sobre Kim y de nuevo revoleo el palo, dándole en las costillas. Es Kim quien ahora lo patea en la zona baja y el hombre se retuerce.

Continuamos empujando y golpeando hasta ponernos a la par del resto de los guardias que se interponen entre los reos y la calle. Noto que uno de ellos me mira sin comprender qué hago allí, como si alguien no le hubiera avisado de que ahora había guardias mujeres. Sin embargo, está más preocupado por los presos que por nosotras y sigue en lo suyo sin causarnos problemas.

En ese momento, veo una oportunidad y la tomo. La codeo a Kim y ella me sigue. Observo a dos reos atravesar el vallado humano que intenta contenerlos y nos lanzamos tras ellos. Alcanzo a uno y lo tomo del cuello. El tipo intenta zafarse y le pego un puñetazo en los riñones, luego le retuerzo el brazo y logro dominarlo. Kim lo agarra del brazo que tenía suelto y empezamos a llevarlo, no de vuelta hacia adentro de la prisión, sino hacia un camión de transporte de detenidos que se encuentra fuera del perímetro externo de policías que rodea la penitenciaría. Es allí donde meten a los fugitivos que la policía logra atrapar. Dos agentes con casco y escudo salen a nuestro encuentro y les entrego al detenido.

—Encárguense de él —les digo y continuamos caminando. Los policías se llevan al reo y nadie se vuelve a interponer en nuestro camino.

—¿Tienes idea de a dónde ir? —le pregunto a Kim mientras avanzamos en línea recta con la única intención de alejarnos del presidio.

—Tengo mi coche estacionado cerca —me responde ella, caminando a mi lado—. Debemos ir hacia allí.

Un coche se nos aproxima y frena frente a nosotras. La puerta se abre y veo un rostro conocido.

—Suban ya —dice Alain. Recojo algo que hay sobre el asiento del acompañante y me siento allí. Kim se sienta atrás.

—¿Qué es esto? —pregunto viendo en mis manos un cuello ortopédico.

—No preguntes —responde Alain—. No preguntes.

39

ES HORA DEL SHOW

Algún lugar de Los Ángeles, California
Jueves, 28 de julio, 6:00 p. m.

Kim me cura las heridas, no son muchas, apenas raspones. La saqué barata, considerando lo que sucedió en ese sótano. Sin embargo, el dolor más fuerte que siento es por una herida que no está a la vista y que la compartimos entre todos: fracasamos.

Cuando volvíamos al motel, nos pusimos al tanto de lo que cada uno había hecho en el lugar que nos tocó estar. Les conté del enfrentamiento en la parte abandonada del presidio y cómo mataron a Dust.

—Te culparán de todo a ti —me dijo Alain con gesto de preocupación a la vez que seguía manejando—. No tenemos forma de probar que fue el Anillo, que no fuiste tú quien eliminó a Dust.

Teniendo en mente lo que dijo Alain, lo primero que

hice al entrar al motel fue revisar los papeles que encontré en la celda. Había mucho material, cosas interesantes, pero nada contundente. Eran escritos de Dust que divagaban entre sus sentimientos, sus miedos y su culpabilidad. Parecía que estuviera comenzando una autobiografía en la que se ponía como víctima de las circunstancias. Nombraba al Anillo como responsable de todo. Admitía que había hecho cosas indebidas, pero que no había tenido alternativa, porque el «Camaleón» lo obligaba. Varias veces nombraba a este «Camaleón», de quien yo no sabía nada, pero en ningún momento decía quién era. Además, advertía que su vida estaba en peligro y que temía no salir con vida de la cárcel. La verdad es que, por más dramáticas que sean, las notas de Dust no eran evidencia de nada, por lo que no tendría ningún sentido llevarlas a la justicia. En definitiva, nada bueno se consiguió, todo fue en vano.

Mientras nosotras estamos sentadas en la cama, Alain se halla en una silla al costado, jugando con el perro. Tironean del cuello ortopédico, que ya está hecho añicos. Al perro se le ve feliz, alguien le presta atención luego de haber estado encerrado y solo varias horas.

El móvil de Alain se encuentra sobre la mesa. En la mitad de la pantalla, aparece Andrew en su búnker junto con Junior. En la otra mitad está Freddie.

El primero que habló fue Andrew, quien nos tranquilizó un poco con respecto a nuestra seguridad. Nos dijo que había borrado todas las grabaciones de las cámaras de la penitenciaría en las que aparecíamos Kim y yo. Alain preguntó sobre las huellas que podía haber dejado en la celda en la que estuve encerrada. Fue entonces

Freddie quien opinó al respecto, diciendo que, aunque hubieran encontrado huellas mías, en ningún informe, ni en el del servicio penitenciario ni en el del FBI que escribiría el agente Smith, se atreverían a admitir que no una, sino dos mujeres entraron a la penitenciaría, que mataron a varios presos, iniciaron un motín y luego salieron como si nada. Lo más probable es que se diga que algunos presos aprovecharon la confusión por un intento de fuga para ajusticiar a un asesino de mujeres.

Las palabras de Freddie, si bien apuntan a que seguiremos en el anonimato y que no se sumará otra causa a mi larga lista de delitos, también nos confirma que todo esto quedará en la nada. Dust será recordado como un asesino que murió como se merecía y el Anillo continuará trabajando con impunidad.

Luego de Freddie, fue el turno de Junior, quien nos acaba de relatar su encuentro con la diputada Eva Longobardi. Todos permanecemos callados luego de escuchar sus novedades. Supongo que ninguno quiere decir lo que estamos sintiendo en este instante, así que es momento de que hable, y no puedo más que repetir lo que no dejo de pensar una y otra vez.

—Fracasamos.

Mi palabra flota en el aire sin encontrar réplica. Asumo que es porque nadie tiene argumentos para contradecirme. Nuestra incursión en la penitenciaría no sirvió para nada y el Anillo sigue con sus planes. Lo único que puede reconfortarnos es que Dust no matará a ninguna mujer más, pero eso tiene gusto a poco.

—Prendan la televisión —dice Andrew de repente, sacándome de mis pensamientos.

Alain se estira sin levantarse de la silla y sin dejar de jugar con el perro, enciende el televisor. Es el noticiero.

—Vamos de vuelta al motín en la penitenciaría —anuncia el presentador—. Allí se encuentra Katy Ross con toda la información al respecto. Ella fue la primera reportera en llegar al lugar y darnos la primicia. Hola, Katy, ¿cómo está todo por allí ahora?

—Hola, Frank —responde ella con el micrófono en mano cuando la cámara la enfoca en la puerta del presidio—. Como bien dijiste, fuimos el primer medio en llegar gracias a un aviso anónimo que disponía de información privilegiada. Es así que pudimos ver todo lo que sucedió casi desde el primer momento, cuando los reos salían por una abertura en la parte trasera de la cocina y corrían hasta la puerta, justo detrás de mí, intentando escapar. Fue un camión de insumos el que tiró abajo la reja que da a la calle, abriendo la brecha por la que el resto de los delincuentes trataron de huir. El servicio penitenciario debió luchar cuerpo a cuerpo con los presos hasta que lograron contenerlos. Afortunadamente, gracias a que la policía de Los Ángeles llegó de manera prematura, ninguno alcanzó a escapar, ya que los oficiales atraparon a cada uno de los que logró atravesar la puerta de salida. Esto lo pudimos registrar en imágenes, ya que estuvimos aquí casi al mismo tiempo que la policía. Incluso el camión que inició la fuga fue detenido a las pocas cuadras, por lo que se trajo de nuevo a los delincuentes que habían logrado salir.

—¿Y qué se sabe, Katy, de cómo se originó todo esto? interviene el conductor del programa cuando la periodista le da un espacio.

—Esa es la parte, Frank, que sigue siendo un misterio —contesta la reportera—. Las autoridades han eludido esa cuestión, diciendo que se está investigando. Tampoco nos dicen si hubo víctimas fatales. Claramente hemos visto allí, detrás de nosotras, que el enfrentamiento ha provocado heridos, pero cuando se les preguntó si hubo muertes, nos dijeron que aún no estaban en condiciones de responder esa pregunta. Lo cual es bastante raro, ya que no es difícil determinar si alguien ha muerto o no.

—Muy bien, Katy. —Vuelve a hablar el conductor del noticiero—. Excelente trabajo el que has realizado, y estaremos esperando cualquier novedad que tengas.

—Gracias, Frank —continúa la periodista—. Permaneceremos aquí, atentos a lo que pueda suceder y a la espera de que el servicio penitenciario nos dé más detalles o, en su defecto, que el informante que nos dio la primicia se vuelva a comunicar y nos cuente lo que nadie nos ha podido o querido decir: ¿qué es lo que realmente ha pasado aquí?

Todos nos miramos al escuchar las últimas palabras de la periodista.

—¿Qué fue eso? —pregunta Kim, mirándome.

—Fue una invitación —respondo y luego miro a los muchachos en el móvil—. Quiere comunicarse con nosotros.

—Creo que sí, pero ¿qué sentido tendría? —pregunta Freddie desde la pantalla del móvil.

Recuerdo entonces lo que me dijo hace rato Alain, acerca de que me culparían a mí de la muerte de Dust. Si bien Freddie descartó esa posibilidad, tal vez, no estaría mal que se supiera de mi intervención. Miro sobre la mesa los papeles que traje de la penitenciaría. Es entonces cuando se me ocurre algo.

—Quizás los papeles de Dust no prueben nada —digo mientras reflexiono—, pero cuentan una historia.

—¿Qué quieres decir? —me pregunta Junior.

—Me estoy dando cuenta de que —explico a medida que la idea va tomando forma en mi mente—, aparte del Anillo, somos los únicos que conocemos la totalidad de esta trama.

—Es verdad —dice Alain—, pero no sirve de nada si no lo podemos probar.

—Tal vez no sea necesario probarlo —continúo con mi explicación—. Si podemos armar una buena historia con todos los datos que tenemos, solo deberíamos darla a conocer y ver qué pasa. Tenemos la vida de Dust reseñada en sus notas y su ascenso acelerado al poder. Tenemos su depósito, el lugar donde se denunció el tráfico de armas, están también los rumores de su proyecto para el parque eléctrico de Arizona y la ley que están queriendo sacar en el Congreso. Él mismo advierte en sus notas que lo matarán para que no hable. Por si esto fuera poco, estoy yo.

Todos me miran sin entender de qué estoy hablando.

—Puedo describir con exactitud lo que pasó dentro de la penitenciaría, explicando cómo sucedió realmente la muerte de Dust —les digo—. Si hacemos pública una versión distinta a la que dan las autoridades, la justicia se vería obligada a investigar.

—¿Crees que obtendremos algún resultado positivo? pregunta Kim, seguro preocupada porque nuevamente me estaría exponiendo.

—La historia cierra por todos lados —le respondo—. Si tuviéramos idea de quién es el «Camaleón» del que escribió Dust, podríamos meterles mucha presión.

—Creo que te entiendo, Ainara —dice Andrew—. Estás pensando en esa reportera, se la vio dispuesta a escucharnos.

—Ainara, yo soy el abogado del equipo —dice Junior, sonriendo—. Envíame una copia de las notas y en unas horas tendrás tu historia perfectamente armada. Con los planos de la cárcel, haré gráficos mostrando tu recorrido, Andrew me dará imágenes tuyas ahí dentro en las que no se vea tu rostro, pero que comprueben que estuviste ahí. Con esto desmentiríamos la versión de las autoridades y sembraríamos la duda en el público sobre la existencia del Anillo. A esto le sumaré todas las conjeturas sobre el funcionamiento del Anillo que un juez no aceptaría, pero que la opinión pública compraría sin dudarlo. Creo que es una buena… —Junior se detiene como si se hubiera dado cuenta de algo.

—¿Qué sucede, Junior? —le pregunto cuando veo que su imagen en la pantalla del móvil desaparece.

—Un momento. —Escucho su voz, pero su parte de la pantalla está en negro—. Les estoy enviando la foto que tomé en la casa de Dust.

La foto llega a mi móvil. Kim y Alain se me arriman para verla juntos. Aparece un hombre abrazando a Dust, cubriéndose la cara con la mano. Junior y Andrew vuelven a aparecer en la pantalla.

—Miren la mano que está sobre el hombro de Dust —dice Junior—, Andrew se encargó de darle más resolución a la imagen, así que podrán ver bastante bien el anillo en el dedo anular.

—¿Qué es lo que tiene el anillo? —pregunta Alain, acercándose a la pantalla de mi móvil para verlo mejor mientras yo amplío la imagen al máximo—. ¿Es un lagarto?

—No —lo corrijo—. Es un camaleón.

Nos miramos entre nosotros. No sabemos quién es ese hombre, pero sin duda es quien está detrás de todo. Es el líder del Anillo.

—Muy bien —digo viendo una pequeña luz de esperanza—. Es hora del *show*.

EPÍLOGO

Washington D. C.
Miércoles, 4 de agosto, 5:00 p. m.

El congresista Johnson desciende por las escaleras del Capitolio, rodeado por sus asistentes y custodia. De inmediato, la prensa advierte su presencia y se abalanzan sobre él.

—Congresista Johnson —le dice un periodista—. ¿Qué harán ahora que se ha suspendido el tratamiento de la Ley del Parque Energético?

—Seguiremos trabajando —responde el congresista, que se detiene para contestar—. Esto es solo un retraso temporal. El cambio climático nos exige medidas drásticas y el consumo de combustibles fósiles debe detenerse de inmediato.

—¿Qué piensa congresista de las acusaciones de

corrupción que llevaron a la suspensión del tratamiento de la ley? —pregunta otro reportero.

—Son todas noticias falsas —responde el congresista y comienza a caminar nuevamente.

—Muchos políticos están siendo acusados de recibir sobornos para aprobar esta ley —insiste el mismo reportero—. ¿Qué nos puede decir de eso?

El congresista Johnson vuelve a detenerse y lo mira.

—¿Quién acusa a quién? —pregunta el congresista, molesto—. No hay ninguna acusación formal ante la justicia. Son todos delirios conspirativos de una periodista amarillista, nada más.

—Pero la muerte de Evan Dust, congresista —le dice otro reportero—, sucedió en condiciones muy sospechosas. En sus notas advirtió que querían asesinarlo.

¿De qué notas habla? —repregunta Johnson—. Yo no he visto ninguna nota original, son solo copias de algo que ni siquiera sabemos si existe.

—El peritaje a las notas aseguró de que se trata de la letra de Dust —continúa el reportero.

—Ese peritaje lo realizó el mismo medio que presentó la noticia falsa —dice Johnson—, no tiene ninguna validez legal. Está todo armado para frenar la transformación.

El congresista mira hacia adelante y retoma el paso sin responder más preguntas. La custodia aparta a reporteros y camarógrafos para que el congresista pueda seguir su camino.

Cuando llega al coche, le abren la puerta, pero el hombre se detiene. Acaba de ver que veinte metros más adelante está estacionado un coche negro muy lujoso, con un hombre de lentes negros parado a un costado de la puerta trasera. El congresista reconoce a ese hombre.

—Espérenme aquí —les dice a sus dos custodios y camina solo hacia el otro coche.

Al llegar, el hombre de lentes oscuros, que claramente es una persona de seguridad, le abre la puerta. El congresista sube al vehículo.

—Lo siento, señor —es lo primero que dice al ver a la persona sentada junto a él—. Hicimos todo lo posible, pero la presión de los medios es muy fuerte.

—La ley ya tendría que haber salido, Johnson —dice el hombre a su lado mientras arranca el vehículo—. Invertimos demasiado.

—Comprendo, señor —dice Johnson—, pero yo no puedo hacer nada. No es mi culpa que Dust estuviera loco, no era la persona para ocupar un lugar así.

—¿Estás diciendo que es mi culpa? —le pregunta el hombre—. Sabes que fui yo quien lo puso en ese lugar.

—Disculpe, no quise decir eso, señor —se excusa Johnson, nervioso—. Lo que no entiendo es cómo llegó esta historia a la prensa con tantos detalles, ni siquiera yo sabía muchas de las cosas que se revelaron.

—Es que tú no debías de saber ningún detalle —lo regaña el hombre—. Tú solo debías hacer que esta ley se promulgue. Nos fallaste, Johnson.

En ese momento, el coche se detiene. El congresista mira a su alrededor y recién se da cuenta de que se encuentran en un lugar cerrado, es un *parking*. La puerta de su lado se abre desde afuera.

—Le prometo que arreglaré esto, señor —dice

Johnson desesperado—. Presionaré para que se vuelva a tratar la ley, es solo una cuestión de tiempo.

—Ya vete —sentencia el hombre.

Johnson comprende que no hay nada que pueda hacer. Baja del coche con la cabeza gacha. La puerta se cierra detrás de él y desde dentro del vehículo se escucha el estruendo de un disparo en el exterior. A través de la ventanilla se puede ver cómo cae el cuerpo sin vida de Johnson.

El hombre dentro del coche suspira. Saca su móvil y observa un video. Es un reportero en la puerta de la cárcel el día del incidente. El hombre pausa la imagen y la amplía. Detrás del reportero se ven dos guardias del servicio penitenciario llevando a un reo fuera del presidio. Agranda aún más la imagen y puede ver que no son guardias comunes. Si bien están borrosas, claramente se ve que son dos mujeres las que aparecen allí.

—Todo por culpa de esa mujer —se dice a sí mismo en voz baja mientras observa la imagen—. Acabaré contigo, Ainara Pons.

El hombre mueve hacia atrás y hacia adelante la imagen con el dedo anular de la mano derecha en el que lleva un anillo. El anillo dorado tiene la figura de un camaleón.

FIN

Ainara regresa en la octava novela de la serie: *Jaque a la dama*. Obtenla aquí:
https://geni.us/JaquealaDama

Puedes encontrar todas las novelas de la serie de Ainara Pons aquí:
https://geni.us/SerieAinaraPons

NOTAS DEL AUTOR

Espero hayas disfrutado la lectura de esta novela.

Si te gustó mi obra, por favor déjame una opinión en Amazon. Las críticas amables son buenas para los autores y los lectores... y un estudio reciente (realizado por mi persona) también indica que escribir una opinión positiva es bueno para el alma 🙂

¿Sabías que ahora también puedes disfrutar de mis historias en audiolibros? Te invito a gozar de esta experiencia con mi relato *Los desaparecidos*. Escúchalo **gratis** aquí: https://soundcloud.com/raulgarbantes/losdesaparecidos

Finalmente, si deseas contactarte conmigo puedes escribirme directamente a raul@raulgarbantes.com.

Mis mejores deseos,
Raúl Garbantes

amazon.com/author/raulgarbantes
goodreads.com/raulgarbantes
instagram.com/raulgarbantes
facebook.com/autorraulgarbantes
x.com/rgarbantes

Made in United States
Orlando, FL
27 April 2024

46251745R00146